D1161247

LAS BELLAS HISTORIAS DE LA BIBLIA

TOMO IV

HEROES Y HEROINAS

(Desde la victoria de David sobre Goliat hasta la división del reino)

Los pasajes bíblicos de esta obra han sido literalmente tomados de la versión católica de las Sagradas Escrituras de Eloíno Nácar Fuster (†), canónigo lectoral de la S.I.C. de Salamanca, y Alberto Colunga, O.P., profesor de Sagrada Escritura en el Convento de San Esteban y en la Pontificia Universidad de Salamanca, con prólogo del Cardenal Gaetano Cicognani. Décima edición, Madrid, 1960. Unos pocos de los textos provienen de la versión católica de Bover-Cantera, u otras versiones católicas.

NOTA. Aunque en algunas oportunidades las expresiones usadas en el diálogo no son citas textuales de las Escrituras, en la inmensa mayoría de los casos se han tomado los textos literalmente de la Biblia. Pero con el objeto de no usar un estilo tipográfico que resultaría pesado para los jóvenes y niños, se han eliminado las comillas en el diálogo.

Spanish "Bible Story," vol. IV

Russ Harlan

Las Bellas HISTORIAS de la BIBLIA

Más de cuatrocientas historias en diez volúmenes que cubren toda la Biblia, desde el Génesis hasta el Apocalipsis, ilustradas con magníficos grabados a todo color

TOMO CUATRO
Héroes y Heroínas

Por ARTURO S. MAXWELL

PUBLICACIONES INTERAMERICANAS
PACIFIC PRESS® PUBLISHING ASSOCIATION
Nampa, Idaho
Oshawa, Ontario, Canadá

EDITADO E IMPRESO POR

Publicaciones Interamericanas,
una división de la Pacific Press® Pub. Assn.,
P.O. Box 5353, Nampa, ID 83653-5353
EE. UU. de N.A.

OFFSET IN U.S.A.

CONTENIDO

Primera Parte — Historias de David

RACION DE RUSSELL HARLAN

haber eliminado a Goliat, el rey Saúl ró a David nombrándolo jefe de sus tro- Y el príncipe Jonatán le regaló sus as y se convirtió en su más fiel amigo.

Las ilustraciones que aparecen anónimas, fueron pintadas por los siguientes artistas: Fred Collins, Kreigh Collins, Russell Harlan, Guillermo Hutchinson, Vernon Nye, Pablo Remmey y Heriberto Rudeen.

PRIMERA PARTE

Historias de David

(1° de Samuel 16:14 a 31:13)

Es Jehová mi pastor; nada me
falta. Me pone en verdes
pastos y me lleva a frescas
aguas. Recrea mi alma y me guía
por las rectas sendas, por amor de su
nombre. Aunque haya de pasar por
un valle tenebroso no temo mal alguno,
porque tu estás conmigo. Tu clava y
tu cayado son mi consuelo. Tú
pones ante mí mesa, enfrente de mis
enemigos. Has derramado el óleo sobre mi cabeza, y mi cáliz rebosa.
Sólo bondad y benevolencia me acom-
pañan todos los días de mi vida, y es-
taré en la casa de Jehová por muy
largos años.··· Salmo 23.

1ra PARTE

HISTORIA 1

David, el Intrépido

LA GRANJA estaba casi desierta. Tres de los hermanos mayores de David habían ido a unirse al ejército de Saúl para luchar contra los filisteos. Por eso sus padres estaban preocupados pensando en lo que podría pasarles en el campo de batalla.

David también estaba inquieto. Mientras cuidaba las ovejas en la ladera de la montaña, no podía dejar de pensar en Eliab, Abinadab y Sama.* Tal vez iban a morir en la batalla o los filisteos se los llevarían como prisioneros, y entonces sí que no podría verlos más. ¡Cuán triste se ponía al pensar en ello!

Tendido sobre el pasto verde y mullido, mientras veía como las ovejas triscaban a su alrededor y un viento fresco hacía mecer los arbustos, David se preguntaba por qué la gente tenía que pelear y matarse. Entonces recordó el día en que un león había atacado a sus ovejas, y cómo él solo había luchado con la fiera y la había matado. Jamás se olvidaría de esa peligrosa

* Para dar uniformidad a la ortografía de los nombres propios se ha empleado siempre la de la versión Reina-Valera, que es la más difundida en los países de habla castellana.

es de vencer a Goliat, David cuidaba las ias de su padre. Mientras vigilaba el reba- aprendió a conocer el amor de Dios y tarde compuso el bello Salmo del Pastor.

aventura, ni tampoco de la ocasión en que un oso había querido llevarse uno de sus corderos. Aunque no había querido matar ni al león ni al oso, había tenido que hacerlo para proteger a sus ovejas.

Pero con los filisteos la cosa era diferente. Ellos debían saber lo que hacían. ¿Por qué no se quedaban en su propia tierra? ¿Por qué venían a otro país para molestar a la gente?

De repente, oyó un llamado familiar: "¡David!"

Era la voz de Isaí, su padre, que deseaba enviar provisiones para sus muchachos que estaban en el campamento. ¿Estaría David dispuesto a llevárselas? ¡Que si estaba dispuesto! ¡Eso era precisamente lo que más deseaba hacer! Tal vez llegaría a tiempo para observar la batalla. Quizá tendría ocasión de ver de cerca a los filisteos.

"David se levantó de madrugada y, dejando las ovejas al cuidado de un pastor, se fue cargado de lo que le mandara Isaí".

No se nos dice cuánto tiempo le llevó el viaje, pero por fin llegó al campamento. Dejó los víveres con la persona encargada y recorrió las tropas hasta que encontró a sus hermanos.

¡Cuán feliz estaba de verlos otra vez! Sin embargo Eliab, el mayor, no lo recibió muy alegre. Al contrario, le preguntó airado por qué había venido y con quién había dejado las ovejas. "Ya conozco tu orgullo y la malicia de tu corazón —le dijo—. Para ver la batalla has bajado tú".

"Pero, ¿qué he hecho?", preguntó David, como lo hubiera hecho cualquier otro muchacho al verse reprendido por un hermano mayor. Justamente entonces alguien gritó: "¡Atención, ahí viene!"

David levantó la vista y, atónito, vio que del campamento de los filisteos avanzaba un hombre gigantesco, de por lo menos tres metros de altura, armado con un enorme casco de bronce, una impresionante coraza escamada y con las piernas protegidas por grebas de bronce. "El asta de su lanza era como el enjullo de un telar, y la punta de la lanza, de hierro, pesaba seiscientos siclos. Delante de él iba su escudero".

—¿Quién es ese gigante? —preguntó David.

—Goliat, de Gat —le contestó uno mientras comenzaba a huir al ver que el enorme guerrero avanzaba a grandes pasos hacia el valle que separaba los dos ejércitos.

¿Por qué todo el mundo huye?, se preguntaba David. ¿Será posible que no haya nadie capaz de hacerle frente?

Contrariado ante la cobardía de sus compatriotas y airado por la soberbia del gigante, David dijo: "¿Quién es ese filisteo, ese incircunciso, para insultar así al ejército del Dios vivo?"

Alguien oyó sus palabras y se las comunicó al rey Saúl, quien mandó a llamar al muchacho. "Que no desfallezca el corazón de mi Señor por el filisteo ese —le dijo David—. Tu siervo irá a luchar contra él".

Pero Saúl no estaba dispuesto a permitirlo. "Tú no puedes ir —le respondió—; eres demasiado joven".

Entonces David le contó al rey el resultado de sus peleas con el león y el oso, y añadió: "Jehová,* que me libró del

* Aunque en el texto bíblico de la versión Nácar-Colunga, que es la que mayormente empleamos, se usa la palabra *Yavé*, la reemplazamos siempre por *Jehová*, por ser ésta menos erudita y más conocida.

león y del oso, me librará también de la mano de ese filisteo".

Al oír su relato, el rey quedó convencido. Reconoció que tenía ante sí a un muchacho intrépido, que confiaba en Dios. Por eso le concedió permiso de ir a combatir con Goliat, e hizo que lo vistieran con su propia armadura para protegerse.

Pero, por supuesto, la armadura era demasiado grande para él. David se sentía incómodo. "No puedo andar con estas armas —dijo—, no estoy acostumbrado", y se quitó la armadura.

Entonces tomó su cayado, descendió hasta el arroyo que corría en el valle, escogió cinco piedras lisas y las puso en el zurrón de pastor que traía.

¿Qué está haciendo ese muchacho?, se preguntaban todos mientras lo observaban elegir tranquilamente una piedra tras otra, guardándolas o descartándolas, según su peso, forma y lisura. ¿Será posible que va a arrojarle piedras al gigante?

Más intrigados todavía se sintieron cuando lo vieron caminar hacia el filisteo sin otra arma que una honda.

Al verlo acercar, Goliat se airó mucho y lo maldijo por sus dioses. "¿Crees que soy yo un perro —le gritó—, para venir contra mí con un cayado? Ven, que dé tus carnes a las aves del cielo y a las bestias del campo".

Pero David no se acobardó. Al contrario, sin la más mínima muestra de temor, le contestó con palabras inolvidables: "Tú vienes contra mí con espada y lanza y venablo, pero yo voy contra ti en el nombre de Jehová, Dios de los ejércitos de Israel, a los que has insultado.

"Hoy te entregará Jehová en mis manos. . .; y sabrá así toda la tierra que Israel tiene un Dios, y sabrán todos éstos que no por la espada ni por la lanza salva Jehová, porque él es Señor de la guerra, y os entregará en nuestras manos".

Esto ya era demasiado para Goliat. Pálido de ira se abalanzó hacia el muchacho, levantando su enorme lanza. David, sin embargo, no retrocedió. Tomó una de las piedras de su zurrón, la puso en la honda y la lanzó con todas sus fuerzas hacia el gigante.

Los miles que observaban la escena contuvieron el aliento. Todos sabían que a David no le quedaría tiempo para un segundo hondazo.

De repente Goliat se detuvo, las piernas se le aflojaron y finalmente cayó de bruces cuan largo era mientras la lanza se le escapaba de entre las manos. La piedra se le había clavado en la frente, el único lugar desguarnecido de su cuerpo.

La batalla prácticamente quedó decidida, pues viendo que su campeón yacía muerto, los filisteos huyeron aterrorizados mientras los israelitas los perseguían de cerca hasta su propio territorio.

¡Cuánto puede hacer Dios mediante un muchacho que lo ama y confía en él de todo corazón!

HISTORIA 2

Se Casa con la Princesa

EL DIA en que David mató a Goliat fue uno de los más decisivos de su vida. Por de pronto, ya no regresó a cuidar las ovejas. "Aquel día tomó Saúl a David y no le dejó que se fuera a la casa de su padre".

Instantáneamente se convirtió en un héroe nacional. El rey y el pueblo lo admiraban. Jonatán, el hijo de Saúl, llegó a quererlo tanto, que, "quitándose el manto que llevaba, se lo puso a David, así como sus arreos militares, su espada, su arco y su cinturón". Esto tenía una gran importancia en aquellos días.

Además, y aunque era joven, David fue puesto "al mando de hombres de guerra, y toda la gente estaba contenta con él, aun los servidores de Saúl". Tantos triunfos y honores habrían mareado a más de un joven; pero eso no ocurrió con David. "En todas sus empresas se mostró acertado, porque Jehová estaba con él".

En cierta ocasión, cuando volvían victoriosos de un combate con los filisteos, salieron "las mujeres de todas las ciudades de Israel, cantando y danzando delante del rey Saúl, con tímpanos y triángulos alegremente, y alternando, cantaban las mujeres en coro: Saúl mató sus mil, pero David sus diez mil".

Al oír estas palabras, Saúl se indignó y comenzó a tener celos de David. No le gustaba que la gente dijera que David era diez veces mejor soldado que él. Y la Biblia agrega que "a partir de aquel día, Saúl miró a David con malos ojos".

Al día siguiente, cavilando todavía en lo que las mujeres habían cantado, el rey tuvo un repentino acceso de ira y arrojó su lanza contra David, que estaba tocando un instrumento músico en el palacio. Por fortuna, David vio venir la lanza asesina y la esquivó.

A pesar de esto, Saúl no olvidó su promesa de dar su hija en matrimonio al hombre que matara a Goliat. ¡Y cómo podía olvidarlo, siendo que muchas personas habían oído sus palabras!

Además, el rey sabía muy bien cuán popular era David y no se atrevió a retractarse.

Sin embargo, hizo una trampa, pues "cuando llegó el tiempo en que Merab, la hija mayor de Saúl, había de ser entregada a David, se la dio por mujer a Adriel".

Entonces le mandó a decir a David que podía casarse con su otra hija Mical, si mataba a cien filisteos. El rey esperaba que David fuera muerto en la batalla; pero tal cosa no ocurrió. Al regresar vivo y victorioso, a Saúl no le quedó otro recurso que darle a su hija Mical.

De esa manera, el muchacho pastor se casó con la princesa y llegó a ser yerno del rey.

Mucho me gustaría poder decir que ambos vivieron siempre felices; sin embargo, no fue así. Sí, es cierto que Mical "amaba a David"; pero la Biblia dice que Saúl lo temía "más y más cada vez, y fue toda su vida enemigo de David".

¡Qué familia feliz podría haber sido aquélla si la envidia y los celos no lo hubieran arruinado todo!

1ra PARTE

HISTORIA 3

Un Muñeco en la Cama

AHORA que David se había casado con Mical, uno esperaría que el rey Saúl hubiera olvidado todos sus resentimientos contra el joven. Pero no fue así. Al contrario, fue cobrándole cada vez más odio, al punto que ordenó a su hijo Jonatán que lo matara.

Pero Jonatán jamás cometería un crimen tal. Amaba a David y por eso le advirtió del peligro que corría. Luego volvió a ver a su padre y le rogó que no atentara contra la vida del joven. Le recordó que David había expuesto su vida al luchar contra Goliat y había vencido. "Tú lo viste y te alborozaste —le dijo—: ¿Por qué, pues, quieres hacerte reo de sangre inocente, dando muerte a David sin causa?" Por fin Jonatán pudo convencer a su padre y éste prometió que no mataría a David.

Sumamente feliz por la promesa, Jonatán corrió hacia el lugar en que su amigo David se había ocultado y le dijo que podía regresar a la corte porque el peligro había pasado. Así lo hizo David y Saúl lo restituyó en el cargo que tenía en el ejército.

Durante un tiempo, las cosas marcharon bien. Con frecuencia, David tocaba el arpa para el rey, como antes. Pero entonces volvió a estallar la guerra contra los filisteos y David fue a combatir contra ellos. Otra vez regresó vencedor y nuevamente todos lo recibieron con aplausos. Bueno. . . todos menos Saúl, en cuyo corazón brotaron otra vez los viejos celos. No podía soportar que la gente dijera tantas cosas buenas de David. Y así, en un acceso de ira, le arrojó otra vez la lanza para matarlo.

Por fortuna, David esquivó el golpe y la lanza fue a clavarse en la pared del palacio. Pero el joven guerrero consideró que su vida corría demasiado peligro allí. Por eso salió rápidamente del salón, se encaminó a su casa y le contó a Mical lo que había ocurrido. Ella tuvo la certeza de que esa vez su padre no abandonaría sus malvados planes; por eso David debía huir de inmediato y ocultarse. "Si no te escapas esta misma noche —le dijo—, mañana mismo te matarán".

Mientras hablaban, oyeron que golpeaban a la puerta de la casa. David sospechó que eran los soldados de Saúl que venían para llevarlo detenido o incluso para matarlo. ¿Qué debía hacer? Podía hacerles frente, pero eso tal vez iniciaría una rebelión contra el rey, y él no se proponía tal cosa. Podía entregarse sin resistir, o huir subrepticiamente. David decidió hacer esto último. Pero, ¿cómo podía escapar? "Por la ventana", sugirió Mical.

La abrieron. La noche era oscura. David se encaramó en ella y fue descendiendo hasta la tierra. Hubo unas pocas palabras de despedida, y David desapareció en la oscuridad.

Mical cerró la ventana y tomando rápidamente una estatua la colocó en la cama de David, "puso una piel de cabra en el lugar de la cabeza y echó sobre ella una cubierta". Entonces fue a abrir la puerta.

A la pregunta de "¿Dónde está David?", Mical contestó que estaba enfermo, en cama. Y como los mensajeros de Saúl insistieron en verlo personalmente, ella los dejó entrar. Había poca luz en el cuarto. Los soldados echaron una mirada a la cama y llegaron a la conclusión de que si David se mantenía tan quieto era porque realmente estaba enfermo. Con esa noticia regresaron al rey.

Pero Saúl se puso furioso y les ordenó que trajeran a David con cama y todo: "Traédmelo en su lecho para que lo haga matar", les ordenó.

Los mensajeros obedecieron de inmediato. Y cuando comenzaban a llevar la cama, descubrieron que habían sido víctimas de una burla: la cabeza de "David" era una piel y su cuerpo, una estatua. . .

No sabemos lo que dijeron los soldados en ese momento; tal vez algunos se rieron. Pero Saúl no lo hizo. Airado, mandó traer a Mical y la reprendió por haberlo engañado.

Sin embargo, ella apenas se dio por enterada. Sabía que su padre no la mataría y que, entretanto, David estaba a salvo, yendo tan rápido como podía hacia Ramá, para contarle a Samuel todo lo ocurrido.

1ra PARTE

HISTORIA 4

Un Mensaje con Tres Flechas

DAVID podría haber huido a su casa, en Belén, para hablar con sus padres; pero no lo hizo. Prefirió ir a ver al profeta que lo había ungido. ¡Qué difícil era la situación en que se encontraba! Aunque se había esforzado por hacer lo recto, se veía ahora en inminente peligro de perder la vida. ¿Por qué le había sucedido eso? ¿Qué debía hacer ahora?

"Huyó, pues, David, se puso en salvo" y se fue adonde estaba Samuel, "refiriéndole todo cuanto Saúl le había hecho".

La historia que David tenía para contar era bien larga, y Samuel debe haberse sentido decepcionado al enterarse de la manera injusta en que el rey había tratado a este magnífico joven que había hecho tanto por Israel.

No sabemos exactamente lo que le dijo Samuel a David; pero podemos estar seguros de que le aconsejó que fuera paciente y confiara en que Dios haría que todo terminara bien.

No mucho después de esto, David y Jonatán volvieron a encontrarse. ¡Cuán felices estaban de verse otra vez! Refiriéndose a su preocupación, David le preguntó a su amigo: "¿Qué he hecho yo? ¿Qué crimen he cometido contra tu padre para que de muerte me persiga?"

Jonatán le contestó que no se preocupara y que cuando la vida de David corriera serio peligro se lo haría saber con suficiente anticipación. Pero David estaba realmente angustiado. "No hay más que un paso entre mí y la muerte", le dijo.

Luego le recordó a Jonatán que al día siguiente se celebraría la fiesta de la luna nueva, ocasión en que el rey esperaba que todos sus familiares y oficiales estuvieran presentes. Tal vez Saúl lo echaría de menos, tal vez no. Pero el hecho es que David no se animaba a ir por la difícil situación en que se encontraba. Por eso le pidió a Jonatán que le contara luego lo que había ocurrido durante la festividad.

Jonatán prometió hacerlo, "pues lo amaba como a su propia vida".

Entonces trazaron un plan. El día inmediatamente posterior a la fiesta David iría a esconderse en un sitio cercano a un campo que ambos conocían bien. Jonatán vendría hasta ese lugar, lanzaría tres flechas y le diría a su ayudante: "Corre a buscar las flechas que tiro". Si Jonatán le decía al muchacho: "Las flechas están más acá de ti", eso quería decir que la ira del rey había pasado y que David podía volver al palacio. Pero si Jonatán le decía a su ayudante: "La flecha está más allá de ti", David debía interpretar que el rey todavía estaba airado y que era conveniente que se mantuviera alejado.

Pues bien, la festividad comenzó, "pero la silla de David estaba vacía". El primer día Saúl no dijo nada; sin embargo, al día siguiente Saúl le preguntó a Jonatán: "¿Por qué no ha venido el hijo de Isaí ni ayer ni hoy al banquete?" Saúl mismo hubiera podido contestar a su pregunta si se hubiera detenido a pensar en la manera en que había tratado a David hacía poco. Sin embargo, como no lo hizo, Jonatán le presentó una excusa diciéndole que David había querido ir a ver a su familia en Belén.

De inmediato Saúl sospechó que los dos jóvenes se habían puesto de acuerdo. "¡Hijo perverso y contumaz! —le gritó a Jonatán frente a todos— . . .Mientras el hijo de Isaí viva sobre la tierra, no habrá seguridad ni para ti ni para tu reino. Manda, pues, a prenderle y tráemelo, porque es reo de muerte".

Pero entonces Jonatán se enojó: "¿Por qué ha de morir? —exclamó—. ¿Qué ha hecho?"

Temblando de ira, Saúl tomó su lanza y trató de atravesar a su propio hijo. Sin embargo, no pudo hacerlo, y Jonatán se levantó de la mesa "muy enojado".

Temprano, a la mañana siguiente, se dirigió al campo con su ayudante. Colocó una flecha en su arco y le dijo al muchacho: "Corre a buscarme las flechas que tiro". Y cuando su ayudante llegó al sitio en que la flecha se había clavado en tierra, Jonatán le gritó —como para que David pudiera oír—: "La flecha está más allá de ti". Y en seguida volvió a gritarle —aunque en realidad le hablaba a David—: "Pronto, date prisa, no te detengas".

El muchacho recogió las tres flechas y volvió adonde estaba Jonatán. Este le entregó su arco y lo envió de vuelta a la ciudad. Cuando se hubo alejado, David salió de su escondite y Jonatán le contó lo que había ocurrido. Ambos se abrazaron y lloraron largamente.

"Vete en paz —dijo por fin Jonatán—. . . Jehová sea testigo entre ambos y entre mi descendencia y la tuya. . . para siempre".

¡Qué triste despedida! Ambos sabían que pasaría mucho tiempo antes de que volvieran a encontrarse.

HISTORIA 5

La Espada de Goliat

ESTA vez David no volvió a Ramá, sino que se encaminó a Nob, donde vivía el sumo sacerdote Ahimelec, probablemente asistido por su hijo Abiatar.

Cuando Ahimelec lo vio, sospechó que algo andaba mal. "¿Cómo vienes tú solo sin que nadie te acompañe?", le preguntó, porque al principio no vio a los jóvenes que habían venido con él.

David inventó la explicación de que estaba realizando una misión secreta para el rey. Pero el sumo sacerdote debe haberse preguntado por qué, si tal cosa era cierta, David estaba tan hambriento, ya que de inmediato le pidió algo para comer.

Ahimelec le respondió que no tenía nada, excepto los panes de la proposición, que eran santos. David le dijo que si se lo permitía, él comería ese pan. "Diole entonces el sacerdote panes santos", y el fugitivo sació su hambre.

Muchos siglos después Jesús narró esta historia cuando los fariseos acusaron a sus discípulos de transgredir el sábado por haber arrancado algunas espigas en ese día. El Maestro les dijo:

"¿Nunca habéis leído lo que hizo David cuando tuvo necesidad y sintió hambre él y los suyos? ¿Cómo entró en la casa de Dios, bajo el pontífice Abiatar, y comió los panes de la proposición, que no es lícito comer sino a los sacerdotes, y los dio asimismo a los suyos? Y añadió: El sábado ha sido hecho para el hombre, y no el hombre para el sábado. Y dueño del sábado es el Hijo del Hombre" (S. Marcos 2:25-28).

Cuando David hubo satisfecho su hambre, le hizo otro extraño pedido al sumo sacerdote: "¿Tienes a mano una lanza o una espada?"

Ahimelec lo miró sorprendido. ¡David desarmado! ¿Cómo era posible? David le explicó entonces que había debido salir de la corte con tanto apuro, que se había olvidado de las armas.

Como regla general no había armas en el tabernáculo; pero por casualidad —le dijo Ahimelec— tenían "la espada de Goliat, el filisteo que tú mataste en el valle del Terebinto. Ahí la tienes envuelta en un paño. . .; cógela, pues otra no hay".

¡Qué alegría para David! "Ninguna mejor —exclamó—; dámela". Y tomando la gran espada de manos del sacerdote, huyó a buscar refugio en la ciudad de Gat.

Lamentablemente, "uno de los servidores de Saúl llamado Doeg, edomita, mayoral de los pastores de Saúl", había visto y oído todo. Corriendo tan rápido como podía, se dirigió adonde estaba el rey y le contó cómo Ahimelec le había dado a David pan sagrado y hasta le había entregado la espada de Goliat.

El informe fue presentado de tal manera, que el rey se airó muchísimo. Mandó venir a todos los sacerdotes que había en Nob y los acusó de tramar una conspiración contra él. Eso fue una tremenda sorpresa para Ahimelec, pues no sabía que existían dificultades entre Saúl y David. "¿Cómo podía rehusarle esos favores a David —le preguntó al rey— siendo que es un hombre de probada fidelidad, yerno del rey, admitido en sus consejos y tan honrado por toda su casa?"

Un observador desapasionado se habría dado cuenta en seguida de que el sumo sacerdote era, de veras, inocente.

Pero Saúl no aceptó su explicación. Estaba seguro de que

Ahimelec le mentía. "Vas a morir, Ahimelec —le dijo sombríamente—, tú y toda la casa de tu padre".

Y sin más advertencia ordenó a los guardias que mataran a Ahimelec y a todos los sacerdotes que estaban con él.

Los soldados, sin embargo, rehusaron obedecer su terrible orden, pues "no quisieron poner su mano sobre los sacerdotes de Jehová".

Entonces el enfurecido rey le dirigió la palabra a Doeg y le ordenó que cometiera esa maldad. Este hombre sin escrúpulos, que mediante su informe parcial había despertado la ira del rey, cumplió la orden y en seguida se encaminó hacia Nob, donde mató sin misericordia a todas las mujeres y los niños de los sacerdotes.

Afortunadamente, Abiatar pudo huir y con el corazón apesadumbrado se encaminó hacia donde David había buscado refugio.

Puedes imaginarte cómo se sintió éste cuando Abiatar lo informó de la tragedia. "Ya pensé yo aquel día —comentó tristemente David— que Doeg, edomita, que estaba en Nob, no dejaría de informar a Saúl. Soy yo la causa de la muerte de toda la casa de tu padre".

Y en seguida, cambiando de tono, agregó: "Quédate conmigo y nada temas, que quien a ti persigue es quien me persigue a mí y aquí estarás bien guardado".

Así estos dos hombres jóvenes comenzaron a vivir juntos desde ese día, confiando en que Dios los protegería y resolvería satisfactoriamente todos sus problemas, cuando él lo considerara oportuno.

HISTORIA 6

Cantando en una Cueva

DESDE ese momento, David comenzó a vivir una existencia muy difícil. Ya no tenía casa donde estar. No podía ir a ver a su esposa, porque el rey Saúl lo habría sabido en seguida. Tampoco se atrevía a hospedarse en casa de sus padres, en Belén, porque no quería que ellos se vieran envueltos en dificultades. De modo que dormía en los bosques o en las cuevas de las montañas.

Una de éstas era conocida con el nombre de la cueva de Adulam, y en ella se refugió David por algún tiempo. "Sus hermanos y toda la casa de su padre" vinieron a vivir con él. "Y todos los perseguidos, los endeudados y descontentos se le unieron, llegando así a mandar a unos cuatrocientos hombres".

Como te imaginarás, este grupo no era muy fácil de dirigir, puesto que cada uno de sus miembros ya se había visto en dificultades. Fácilmente habría podido llegar a ser una cuadrilla de ladrones y asesinos, viviendo de lo que robaran en los alrededores. Pero David les hizo entender que ése no era su propósito. Les habló de Dios y con frecuencia les cantaba del amor y la glo-

ria del Señor, así como lo había hecho años atrás mientras pastoreaba sus ovejas.

Y fue precisamente allí, en la cueva de Adulam, donde compuso esa hermosa canción que ha llegado a nosotros con el nombre de Salmo 57. Léelo esta noche y trata de imaginar las circunstancias en que lo compuso.

"Ten misericordia de mí, ¡oh Dios!; ten misericordia de mí, porque a ti he confiado mi alma, y me ampararé a la sombra de tus alas mientras pase la angustia... El mandará desde los cielos quien me socorra y confunda al enemigo que me acosa...

"Pronto está mi corazón, está mi corazón dispuesto a can tarte y entonar salmos. ¡Despierta, gloria mía; despierta, sal terio y cítara, y despertaré a la aurora!

"Te alabaré entre los pueblos, ¡oh Señor! Te cantaré sal mos entre las naciones. Porque sobrepasa a los cielos tu miseri cordia, y a las nubes tu verdad. Alzate, ¡oh Dios!, allá, en l alto de los cielos; haz esplender en toda la tierra tu gloria".

Trata de imaginarte el cuadro: la cueva oscura, alumbrad tenuemente por unas pocas antorchas que echan humo. En u extremo, el valiente joven que mató a Goliat, con un arpa en l mano, toca y canta alabanzas a Dios; frente a él, sus toscos ami gos lo escuchan sentados o echados en el suelo. Y repentinamen te, sin que nadie lo advierta, la cueva llega a ser un templo esos hombres tristes y amargados, que habían perdido toda espe ranza, sienten que la fe, el amor y la esperanza vuelven a surgi en sus corazones.

Por ese entonces David hizo algo muy hermoso. Saliend de la cueva de Adulam, fue a ver al rey de Moab para pedirle u favor. "Te ruego que acojas entre vosotros a mi padre y a m madre —le dijo— hasta que yo sepa lo que de mí hará Dios"

El rey se mostró bondadoso y aceptó el plan. De modo qu David fue a Belén, trajo a sus padres hasta la tierra de Moab allí permanecieron mientras David seguía proscripto por el re Saúl.

¡Cuán bondadoso se mostró al tener en cuenta a sus ancia nos padres y al llevarlos a vivir a un lugar seguro!

HISTORIA 7

Una Vida Recta

DAVID tenía un fe sencilla y práctica. Era tan grande su confianza en Dios, que le comunicaba todas sus preocupaciones. Siempre que se veía en la duda acerca de qué hacer o dónde ir, se lo preguntaba a Dios y él le respondía.

Cierta vez David se enteró de que los filisteos estaban atacando la ciudad de Keila y robando el cereal que el pueblo acababa de cosechar. De inmediato sintió deseos de ir a rescatar a esa gente; pero al pensar con más calma en el asunto, se dio cuenta de que al salir de la cueva y dirigirse a Keila, se exponían a que Saúl los apresara.

¿Qué debía hacer entonces? "¿Iré a batir a los filisteos?", le preguntó al Señor. "Ve —fue la respuesta—, batirás a los filisteos y librarás a Keila".

Cuando comunicó el plan a su gente, algunos le dijeron que no les convenía salir, pues el peligro era muy grande. Por eso David volvió a hablar con Dios, quien le dijo: "Alzate y baja a Keila, pues te he dado los filisteos en tus manos".

Esta vez ya no tenía dudas en cuanto a lo que debía hacer,

de modo que se puso en marcha para auxiliar a los de Keila. El número de sus partidarios se había elevado por entonces a seiscientos, y juntos derrotaron a los filisteos. Así no sólo libraron a la gente de Keila, sino que recuperaron todo su ganado.

Puedes imaginarte qué magnífica bienvenida les brindaron a él y a sus hombres los habitantes de Keila después de haber derrotado a los filisteos. Sin embargo, la felicidad no duró mucho.

Mientras David y los suyos estaban luchando contra los filisteos, Saúl se enteró de que habían salido de su escondrijo en la montaña y se habían dirigido a Keila. El rey se sintió seguro de que esta vez podría atrapar a David, "pues —se dijo— ha ido a encerrarse en una ciudad que tiene puertas y cerrojos". A toda prisa reunió a su gente para ir hasta Keila con el fin de sitiar a David y a sus hombres.

Pero Saúl se olvidó de un detalle importante. David estaba esforzándose por obedecer a Dios y vivir una vida recta.

De alguna manera, aunque en aquellos días no había radio, ni teléfono, ni televisión, David se enteró de los planes de Saúl. De inmediato se dirigió a Dios y le preguntó: "¿Bajará. . . Saúl como a tu siervo le han dicho? Jehová, Dios de Israel, dígnate a descubrírselo a tu siervo". "Bajará", le respondió el Señor.

Entonces David deseó saber si debía quedarse con su gente donde estaba o huir. Pensó que si los habitantes de Keila lo ayudaban, era posible que ganara la batalla. De lo contrario, se vería en muy grave peligro.

Por eso volvió a preguntarle a Dios: "Los habitantes de Keila, ¿me entregarán a mí y a los míos en manos de Saúl?" Pronto vino la respuesta: "Te entregarán".

De modo que nuevamente David supo qué hacer. Con sus

seiscientos hombres salió en seguida de la ciudad y se fue a buscar refugio en el desierto.

¡Qué hermoso es poder hablar con Dios de esa manera!, ¿verdad? Pues bien, el Señor está tan dispuesto a hablar con los muchachos y niñas de la actualidad como lo estaba antaño, cuando respondía a David. Si se lo permitimos, él nos irá guiando a lo largo de toda nuestra vida.

S.B.S. 4-3

HISTORIA 8

Rodeado de Enemigos

PARECE que después que David y sus hombres salieron de Keila, no pudieron volver a la cueva de Adulam, de modo que fueron a refugiarse en el desierto de Zif, una región árida y deshabitada.

Mientras estaba allí, David recibió la visita de alguien a quien no había visto desde hacía mucho tiempo: su viejo amigo Jonatán. De alguna manera el príncipe había averiguado el lugar en que estaba David y se había arriesgado para ir a visitarlo. ¡Cuán felices deben haberse sentido los dos al volver a verse! ¡Y cuántas cosas tendrían para contarse!

Jonatán estaba apenado por todas las dificultades que le habían sobrevenido a David; pero lo animó diciéndole: "Nada temas, pues la mano de Saúl, mi padre, no te alcanzará. Tú reinarás sobre Israel, y yo seré tu segundo, Saúl, mi padre, lo sabe muy bien".

Es difícil explicar lo que le pasaba a Saúl. Temía que David llegara a ser rey algún día, y para evitar que eso ocurriera, trataba de matarlo. Jonatán, en cambio, estaba seguro de que

Dios protegía a David y de que un día el reino sería suyo. ¡Qué nobleza! A pesar de que era el hijo del rey y el príncipe heredero, le prometió a David: "Yo seré tu segundo". Para decirlo, es necesario tener un espíritu sumamente humilde y generoso, ¿verdad?

Por fin llegó el momento en que los dos amigos debían separarse. "Y quedándose David en Hores, Jonatán se volvió a casa". Probablemente viajó por la noche, porque puedes imaginarte lo que habría dicho el rey si hubiera sabido dónde había estado su hijo. . .

Aunque Jonatán había sido bondadoso con David, no así los habitantes del desierto. Algunos de ellos, pensando ganar el favor del rey, se dirigieron a Saúl y le informaron exactamente dónde se hallaban David y sus hombres. Y lo que es peor, se ofrecieron a guiar a los soldados de Saúl hasta el escondrijo de David. "Ponerle en tus manos es cosa nuestra", le dijeron.

Saúl se alegró mucho de recibir estos datos, pero antes de ponerse en marcha quiso estar bien seguro. "Id, os ruego —les dijo—, y observad mejor todavía por dónde anda, y ved cuáles son sus andanzas y quién le ha visto; porque según me han dicho, es muy astuto. Examinad y reconoced todos los escondrijos donde se oculta, y volved luego a mí con informes exactos; y

entonces iré con vosotros, y si allí está, yo le descubriré entre todas las familias de Judá".

Saúl pensó que esa vez atraparía, por fin, al escurridizo David. Los espías, siendo habitantes del desierto, decían conocer con precisión "los escondrijos" donde se ocultaba. Pero, aunque eran ingeniosos y hábiles, no lo eran tanto como David. Porque después de haber guiado a los soldados de Saúl hasta el lugar exacto en que David y los suyos se escondían. . ., resultó que allí no había nadie. Afanosamente recorrieron los valles y las montañas, pero en vano: los seiscientos hombres habían desaparecido.

Una vez más David había podido enterarse de los planes de Saúl y había huido con los suyos al cercano desierto de Maón.

Por supuesto, no pasó mucho tiempo antes de que Saúl se enterara del paradero de David y pronto él y sus soldados se lanzaron a perseguirlos. ¡En qué aprieto se veían David y sus hombres! En cierto momento los dos ejércitos estaban tan cerca el uno del otro, que los soldados de Saúl se encontraban de un lado de una montaña mientras que los de David estaban del otro. Pero al fin, después de una serie de maniobras, David y los suyos se vieron completamente rodeados. Parecía no haber manera de escapar. "Saúl y su gente tenían cercados a David y sus hombres para prenderlos".

RODEADO DE ENEMIGOS

Entonces ocurrió el milagro. Repentinamente apareció un hombre corriendo a toda velocidad por la cumbre de la montaña en dirección a los soldados de Saúl. Todos los que lo vieron pensaron que era un mensajero que traía noticias de gran importancia.

Y así era. Al llegar junto al rey le dijo: "Apresúrate, pues los filisteos han invadido la tierra".

La persecución había terminado. De inmediato Saúl ordenó a sus hombres que dejaran a David y a los suyos por el momento y que se dispusieran a combatir contra los filisteos. Así Dios intervino una vez más para salvar la vida de David y la de sus hombres.

HISTORIA 9

Bien por Mal

DAVID y los suyos pudieron disfrutar de un corto período de tranquilidad; pero tan pronto como Saúl terminó de combatir contra los filisteos, se lanzó otra vez en persecución de su más odiado enemigo.

Esta vez tomó consigo a tres mil hombres escogidos y se encaminó hacia los desolados pasos de las montañas para atrapar a David de una vez por todas.

Día tras día, infatigablemente, recorrieron la región, pero sin éxito. Aunque los soldados buscaron por todas partes, no encontraron ni siquiera rastros de David ni de ninguno de sus hombres. Estos parecían haberse esfumado.

Saúl estaba intrigado y molesto. ¿Dónde podían estar?

Cierto día se separó de sus soldados y entró en una de las muchas cuevas que hay en la región. Adentro estaba muy oscuro, y el repentino cambio de la luz a las tinieblas no le permitió ver quiénes se encontraban allí.

¡Aquél era, precisamente, el escondrijo de David! Y por todas partes, bien pegados a las paredes de la caverna, se hallaban los soldados de David con las espadas desenvainadas, listos para pelear hasta la muerte si era necesario.

Por fin tenían a Saúl a su disposición, y David lo sabía. Uno de sus hombres le susurró al oído: "Esta es tu oportunidad. ¡Mátalo!" Pero David no pensaba hacer tal cosa. No odiaba a Saúl; por el contrario, le tenía lástima. Además, Saúl era el "ungido de Jehová" y por eso no le haría daño.

Sin embargo, la tentación de hacer a Saúl objeto de una travesura era demasiado poderosa... Silenciosamente David avanzó en la oscuridad hasta que se encontró tan cerca del rey que, si hubiera querido, habría podido matarlo. Entonces con un rápido movimiento de su daga, cortó una parte del manto de Saúl y se volvió al lugar en que estaba.

Pronto se arrepintió de lo que había hecho. La Biblia dice que "luego le latía fuerte el corazón por haber cortado la orla del manto de Saúl; y dijo a sus hombres: Líbreme Jehová de hacer cosa tal contra mi Señor, el ungido de Jehová". Pero ya no podía reparar lo que había hecho.

Saúl, entretanto, ignorante de lo que le había ocurrido, salió de la caverna y se encaminó hacia sus soldados, que lo estaban esperando no lejos de allí. Repentinamente, oyó que alguien lo llamaba a sus espaldas.

"¡Oh rey, mi señor!".

Sorprendido, se dio vuelta, y vio a David que se inclinaba respetuosamente. Por un momento, no supo qué decir ni qué hacer. Entonces David comenzó a hablarle con voz tierna y suplicante: "¿Por qué escuchas lo que te dicen algunos de que yo pretendo tu mal? Hoy ven tus ojos cómo Jehová te ha puesto en mis manos en la caverna; pero yo te he preservado, diciéndome: No pondré yo mi mano sobre mi Señor, que es el ungido de Jehová".

Y mostrando un trozo de tela añadió: "¡Mira, padre mío; mira! En mi mano tengo la orla de tu manto. Yo la he cortado con mi mano; y cuando no te he matado, reconoce y comprende que no hay en mí ni maldad ni rebeldía y que no he pecado contra ti. . . Que juzgue Jehová entre mí y ti y sea Jehová el que me vengue, que ya no pondré mi mano sobre ti".

Saúl, al oír esto, se conmovió profundamente y comenzó a llorar. "¿Eres tú, hijo mío, David? —le dijo—. Mejor eres tú que yo, pues me has hecho bien y yo te pago con mal".

Y así los dos hombres permanecieron juntos durante algún tiempo, conversando amigablemente como en los felices días pasados. Luego se despidieron. Saúl condujo a sus soldados de regreso, y David volvió a la caverna en que estaban sus hombres.

Ese día no hubo combates. Nadie fue herido ni muerto. Es que la gente no puede pelear cuando alguien, como lo hizo David, paga con bien el mal que se le ha hecho.

1ra PARTE

HISTORIA 10

La Hermosa y Amable Abigail

DEBE haberle resultado difícil a David encontrar alimentos para sus seiscientos hombres. No era posible que vivieran de las plantas y bayas que encontraban en los bosques, ni siquiera de los pájaros y animales salvajes que podían cazar con sus flechas. De vez en cuando tenían que pedir a los granjeros que los ayudaran.

Por supuesto, ellos podrían haberse apoderado de alimentos por la fuerza; pero esa no era la manera en que David se comportaba. El no era un ladrón ni un asaltante. Además, siempre recordaba que había sido ungido por el profeta del Señor como futuro rey de Israel.

Cierto día envió a diez de sus hombres jóvenes a pedir alimentos a un granjero muy rico llamado Nabal. Este hombre poseía tres mil ovejas y mil cabras, lo que, para aquella época, representaba una considerable riqueza. Pero Nabal no sólo era rico, sino muy mezquino.

—La paz sea contigo, con tu casa y con cuanto tienes —fueron las corteses palabras de saludo que los jóvenes dirigieron al rico granjero antes de comunicarle lo que David le pedía.

Pero ese día Nabal estaba de muy mal humor.

—¿Quién es David y quién el hijo de Isaí? —refunfuñó—. Son hoy muchos los siervos que andan huidos de su señor. ¿Voy a tomar yo mi comida y mi bebida y el ganado que he matado para mis esquiladores para dárselo a gente que no sé de dónde es?

No, no le daría a David ni una hogaza de pan, ni una gota de agua, ni siquiera un cabrito. Y así despidió a los jóvenes emisarios con las manos vacías.

¡Cómo se enojó David al enterarse de lo ocurrido! Nunca antes había sido tratado de manera tan miserable, y no pudo soportarlo. De modo que ordenó a cuatrocientos de los suyos que lo siguieran hasta la granja de Nabal, donde se proponía castigarlo por su rudeza y egoísmo.

Sin embargo, David no hubiera debido enojarse tanto, pues Dios estaba obrando en su favor así como lo había hecho siempre.

Sucede que la esposa de Nabal era una mujer no sólo hermosa y valiente, sino también muy sabia. Cuando sus siervos le contaron cómo había tratado su esposo a los diez mensajeros, ella se disgustó mucho, especialmente al saber que los hombres de David habían estado protegiendo desde hacía tiempo a los pastores y los rebaños de su propiedad. De inmediato Abigail trató de arreglar la situación. Sin decirle una palabra a Nabal, reunió "doscientos panes, dos odres de vino, cinco carneros ya compuestos, cinco medidas de trigo tostado, cien atados de uvas pasas y doscientas masas de higos secos" y los hizo cargar en seguida sobre asnos.

Ella sabía que esas provisiones les parecerían manjares ex-

quisitos a aquellos hombres que habían estado alimentándose durante un largo tiempo con las magras raciones que podían obtener en el desierto.

Tal vez recordando cómo Jacob había enviado regalos para aplacar a su hermano Esaú, Abigail hizo que los siervos que conducían los asnos cargados de provisiones marcharan delante de ella. Y cuando la comitiva se hallaba a medio camino, todos se vieron rodeados repentinamente por David y los suyos, que avanzaban hacia la granja de Nabal.

El espectáculo que ofrecían esos hombres aguerridos y armados hubiera bastado para atemorizar a cualquiera, y especialmente a una mujer sola. Pero Abigail no era de ese tipo. Ella había previsto que algo por el estilo iba a ocurrir y por eso supo qué hacer. Con toda calma bajó de su asno y se inclinó respetuosamente ante David. Luego señalando los animales cargados de provisiones, explicó que todo eso era un regalo que ella traía para los siervos de David.

El enojo pareció evaporarse y muy pronto los rostros de los

cuatrocientos soldados se iluminaron con sonrisas al pensar en el magnífico banquete que pronto se servirían.

"No haga cuenta mi Señor de ese malvado de Nabal —le dijo a David—, porque es lo que su nombre significa, un necio". Y luego, con gran tacto, se echó a sí misma la culpa de todo lo que había ocurrido: "Perdona, te ruego, la falta de tu sierva".

¿Qué podía hacer David, entonces? Ese acto de bondad lo había conmovido. Ya no sentía deseos de ir a castigar al marido de esta simpática mujer. ¡Era tan hermosa y se había mostrado tan amable!...

"¡Bendito Jehová, Dios de Israel —le dijo—, que te ha mandado hoy a mi encuentro! ¡Bendita tu sabiduría y bendita tú, que me has impedido hoy derramar sangre!"

Todo el mundo se sentía feliz. Apresurándose, los hombres tomaron las provisiones de sobre los asnos y agradeciéndole efusivamente a Abigail retomaron el camino por donde habían venido.

Abigail, por su parte, volvió a su casa y como encontró a su esposo ebrio, no le dijo nada de lo que había hecho. Al día siguiente, cuando lo hizo, Nabal se enojó tanto que sufrió un ataque y murió pocos días después.

Cuando David se enteró de ello, dijo: "¡Bendito Jehová, que... impidió a su siervo hacer el mal! Jehová ha hecho que la maldad de Nabal recayera sobre su cabeza". David se había prendado de la hermosa y valiente Abigail, y al saber que había quedado viuda envió mensajeros para invitarla a venir a vivir con él en el desierto. Ella aceptó alegremente su invitación y así llegó a ser su esposa.

**id alabó al Señor cuando Abigail, la sim-
ca esposa de Nabal, trajo víveres para ali-
tar a los 400 soldados hambrientos que
ían protegido los rebaños de su esposo.**

HISTORIA 11

Aventura Nocturna

DAVID se hallaba otra vez en el desierto de Zif cuando cierto día, para su sorpresa, se enteró de que Saúl nuevamente estaba en su busca.

¡Parecía increíble!

Después de lo ocurrido en la caverna, cuando él y el rey habían conversado amigablemente, David había pensado que ya no habría más dificultades entre ellos.

Sin embargo, otra vez Saúl había reunido su tropas y se había lanzado en su persecución, decidido a eliminarlo de una vez por todas.

Para cerciorarse de que se le había dicho la verdad, David envió espías quienes, al regreso, le informaron que efectivamente Saúl venía hacia él.

Fue en una situación difícil como ésta cuando David escribió la hermosa oración que encontramos en el Salmo 54: "Sálvame, ¡oh Dios! por el honor de tu nombre; defiéndeme con tu poder. Oye, ¡oh Dios! mi oración, da oídos a las palabras de mi boca... Es Dios quien me defiende; es el Señor el sostén de mi vida... Yo te ofreceré voluntario sacrificio; cantaré ¡oh Jehová!, tu nombre, porque es bueno".

Esta vez, David y sus hombres no huyeron, sino que, amparándose en la densa oscuridad de la noche, avanzaron sigilosamente hacia el lugar en que Saúl y sus soldados habían establecido el campamento.

Acercándose más y más, llegaron hasta el sitio en que Saúl y Abner, el capitán de las tropas, se hallaban durmiendo. Aguzando la vista, notaron que Saúl se encontraba en el centro del campamento, rodeado por el bagaje. Cerca de él estaba Abner, y el resto de los soldados se hallaban tendidos en el suelo a su alrededor.

Todo el mundo dormía. No se oía un solo ruido, salvo el ronquido de algunos soldados, el rebuzno ocasional de algún asno o el relincho de un caballo.

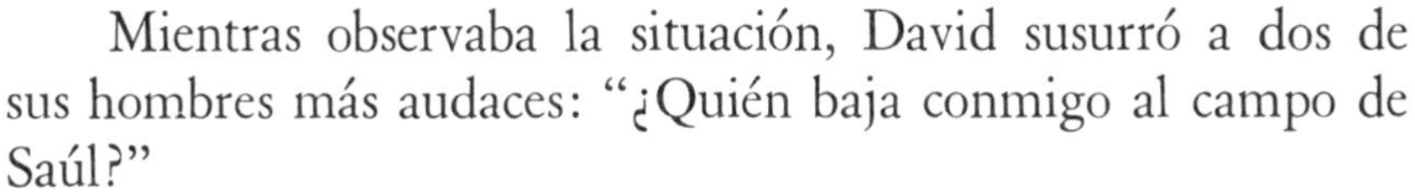

Mientras observaba la situación, David susurró a dos de sus hombres más audaces: "¿Quién baja conmigo al campo de Saúl?"

"Yo bajaré contigo", respondió Abisai.

Sin pensar por un momento en el terrible riesgo que co-

rrían, los dos valientes avanzaron con gran sigilo. ¿Qué harían si un perro comenzaba a ladrar? ¿Qué, si un centinela llegaba a verlos? Si el campamento llegaba a alborotarse, no saldrían con vida de allí.

Sin embargo, siguieron avanzando con cuidado para no pisar a alguno de los soldados dormidos. Por fin llegaron adonde estaba Saúl, profundamente dormido. Junto a su cabecera estaba su lanza clavada en tierra, y cerca de ella una jarra para el agua.

Mientras Abisai contemplaba al hombre que tantas dificultades había causado a David y a los suyos, deseó matarlo de una vez. "Déjame que ahora mismo le atraviese con mi lanza y de un golpe le clave en la tierra —le susurró a David—; no tendré que repetir".

Pero David no le permitió hacerlo. "No le mates —le respondió—. Quien pusiere su mano sobre el ungido de Jehová, ¿quedaría impune? —y añadió—: Tan cierto como vive Jehová, que, si no le hiriere él y le llega su día y muere, o muere en la guerra, Jehová me libre de poner la mano sobre su ungido".

Así evidenció una vez más su fe en que Dios guiaba su vida. Luego, demostrando la misma picardía que había revelado en la caverna cuando cortó una parte del manto de Saúl, le susurró a Abisai: "Coge la lanza y el jarro que está junto a la cabecera y vámonos".

Y tan silenciosamente como habían venido, los dos hombres se retiraron del campamento. "David pasó al otro lado y se puso lejos, sobre la cumbre de una colina, separándose largo trecho".

Debía ser bien de madrugada, porque cuando David gritó nadie le respondió. Todos se hallaban todavía durmiendo en el campamento. Entonces volvió a llamar, gritando tan fuerte como podía: "¡Abner! ¿No contestas?"

Por fin Abner se despertó, y de muy mal humor por cierto. "¿Quién eres tú, que así me llamas?"

"¿No eres tú valiente? —le preguntó sarcásticamente David—. ¿Quién cómo tú en Israel? ¿Cómo no guardas a tu rey y Señor?... Busca la lanza y el jarro que tenía el rey junto a su cabecera".

"¿Qué sucede? —me lo imagino a Abner murmurando—. ¿De qué está hablando?"

Pero Saúl reconoció la voz de David y le respondió: "¿Eres tú hijo mío, David?"

"Yo soy, ¡oh rey, mi señor!", le contestó. Y entonces volvió a formular la pregunta que tantas veces había hecho: "¿Qué he hecho yo? ¿Qué crimen he cometido? ¿Por qué me persigues?"

Cuando Saúl vio la lanza y el jarro que David sostenía en las manos, y comprendió que había estado muy cerca de él esa noche, le dijo: "He pecado. Vuelve, David, hijo mío, que yo no te haré ya mal, puesto que mi vida ha sido hoy preciosa a tus ojos. He obrado como un insensato y he faltado mucho".

¡Cuán cierto era ello! La pena es que Saúl lo reconoció demasiado tarde. David, sin embargo, tan dispuesto como siempre a perdonar, le contestó: "Aquí tienes tu lanza, rey. Que venga un mozo a buscarla". Y el rey, agradecido, añadió: "¡Bendito seas, hijo mío, David! Afortunado serás en todas tus empresas".

De ese modo la larga disputa tuvo un final feliz. "David prosiguió su camino y Saúl se volvió a su casa".

HISTORIA 12

La Adivina de Endor

ALGUN tiempo después de que Saúl dejó de perseguir a David, los filisteos volvieron a invadir la tierra de los israelitas. Esta vez venían en un poderoso ejército confederado, y cuando Saúl vio las tropas acampadas "tembló y se le agitó el corazón".

El rey necesitaba que alguien lo aconsejara con sabiduría, pero no sabía a quién recurrir. Cuando en lo pasado se había visto en dificultades había recurrido a Samuel, quien siempre le había comunicado los mensajes del Señor; pero Samuel había muerto. Saúl también hubiera deseado recibir el consejo del sumo sacerdote; pero también éste estaba muerto. El mismo había ordenado a Doeg que matara a todos los sacerdotes. Este había cumplido cruelmente la orden, y sólo Abiatar había podido huir para buscar refugio junto a David.

Nunca antes se había sentido Saúl tan solitario ni tan débil. Había tratado de orar a Dios; pero a causa de su continua desobediencia, el Señor no le contestaba.

A medida que los filisteos aumentaban en número, Saúl

comenzó a desesperarse. Por fin decidió ir a consultar a una hechicera para ver si ella podía ayudarlo. Esa fue la peor decisión que podría haber hecho.

En aquel tiempo las mujeres que pretendían hablar con los muertos eran llamadas pitonisas, y debido a que esta pretensión era falsa, Dios había ordenado que se las eliminara o expulsara de Israel. Mientras Samuel vivía, Saúl había tratado de acabar con las pitonisas; pero algunas pocas habían logrado sobrevivir.

Después de enterarse de que una de estas mujeres vivía en un lugar llamado Endor, el rey se disfrazó con ropas comunes y, acompañado de dos hombres, fue a visitarla.

LA ADIVINA DE ENDOR

Era de noche cuando llegaron, y la adivina temió que fueran espías y que estuvieran tratando de hacerla caer en una trampa; pero Saúl le prometió solemnemente que nada le ocurriría si ella accedía a su pedido.

—¿A quién he de evocar? —le preguntó la mujer.

—Evócame a Samuel —le dijo el rey.

La adivina, por supuesto, no era capaz de traer a la vida a Samuel. Dios no permitiría que una mujer malvada perturbara el sueño del profeta. La figura que ella dijo ver no era Samuel, sino un mal espíritu que asumió los vagos contornos del profeta.

Saúl, por su parte, no vio a Samuel. El sencillamente creyó en lo que la mujer le decía. Y pensando que hablaba con Samuel, dijo: "Estoy en gran aprieto. Los filisteos me hacen la guerra y Jehová se ha retirado de mí. No me ha respondido ni por profeta ni por sueños. Te he evocado para que me digas qué he de hacer".

Saúl, que esperaba oír algunos consejos sabios o algunas palabras de ánimo, pronto se dio cuenta de cuán iluso había sido. La voz que, pretendiendo ser la de Samuel, le habló, sólo le comunicó malas noticias. Le dijo que Israel sería derrotado en la batalla contra los filisteos y que él mismo y sus hijos morirían en ella.

Saúl salió completamente desanimado de su encuentro con la adivina de Endor. No sólo no había obtenido ninguna ayuda, sino que ahora ya no tenía ánimo para combatir a los filisteos ni energía para planear la batalla. Sin esperanza y sin Dios, sólo le quedó aguardar el fin, que preveía muy cercano.

'RACION DE VERNON NYE

ndose rodeado por el enemigo, Saúl des-
›deció el mandamiento de Dios al consultar
‹na adivina. Esta evocó a un espíritu ma-
10 que pretendió ser el profeta Samuel.

HISTORIA 13

Un Valeroso Rescate

ENTRETANTO, David también estaba pasando por dificultades.

El rey Aquis de Gat había sido muy bondadoso con él y con los suyos, y les había permitido vivir en el pueblo de Siclag. Felices de tener por fin un lugar que podían considerar suyo, los seiscientos hombres, con sus mujeres y sus hijos, habían reedificado las viviendas y habían hecho prosperar la población.

Cuando todo parecía ir bien, estalló la guerra entre los filisteos y los israelitas. Esto ponía a David en una situación difícil, porque Siclag y Gat estaban situadas en tierra de los filisteos y el rey Aquis esperaba que todos los hombres físicamente capaces lo ayudaran en su lucha contra Israel.

Pero, ¿cómo podría David combatir contra su propio pueblo? Sin duda él y los suyos discutieron el problema durante largo tiempo. La Biblia no nos dice lo que decidieron, aunque nos informa que el día en que los soldados se reunieron para el combate y "los príncipes de los filisteos" marchaban "a la cabeza de sus centenas y de sus millares, David y los suyos marchaban a retaguardia con Aquis", sin sospechar siquiera lo que iba a ocurrir poco después.

Repentinamente, algunos jefes de los filisteos los reconocieron. "¿Qué hacen aquí estos hebreos?", preguntaron.

El rey Aquis les contestó que no se preocuparan porque David y sus hombres habían estado viviendo en su tierra durante mucho tiempo y no había hallado siquiera una falta en ellos.

Los príncipes, sin embargo, no podían permitir que hubiera hebreos combatiendo entre los filisteos contra Israel. Señalando airadamente a David, exigieron: "Despide a ese hombre...; que no venga a la batalla, no sea que se revuelva contra nosotros durante el combate".

Era lógico que los príncipes desconfiaran, y el rey Aquis lo comprendió. Por eso, llamando a David le rogó que volviera a Siclag: "Yo sé bien que tú has sido bueno conmigo, como un ángel de Dios; pero los jefes de los filisteos dicen: Que no suba con nosotros a la batalla. Así que levántate de mañana tú y los siervos de tu señor que han venido contigo; iréis al lugar que os he señalado".

Poco podía hacer David frente a esta orden, de modo que junto con sus hombres emprendió el regreso. Y en buena hora lo hizo, porque cuando llegaron a Siclag, descubrieron que la ciudad había sido tomada e incendiada. Los amalecitas habían atacado durante la ausencia de los hombres y se habían llevado las mujeres, los niños y todo cuanto David y los suyos poseían. ¡Qué terrible sorpresa! Jamás se habían imaginado que algo así iba a ocurrirles. Entonces "David y sus gentes... alzaron la voz y lloraron hasta más no poder".

Los hombres no sólo estaban tristes, sino también enojados. Algunos hasta sugirieron que David debía ser apedreado, como

si lo ocurrido fuera culpa suya. "Pero David se confortó en Jehová, su Dios". Y en medio de las carbonizadas ruinas de la ciudad, le preguntó al Señor: "¿He de perseguir a esa banda? ¿La alcanzaré?"

"Persíguela —le respondió el Señor—, porque de cierto la alcanzarás y recobrarás".

De inmediato David y sus hombres partieron en persecución de los amalecitas. Marcharon con tanta rapidez, que cuando llegaron al arroyo de Besor, doscientos estaban tan fatigados que no podían dar un paso más. David los dejó con el bagaje junto al arroyo, y con los demás reanudó la persecución. Pero al poco rato perdieron la pista. ¡Y cuán impacientes se habrán sentido estos hombres, que estaban tan ansiosos de alcanzar a los amalecitas antes de que pudieran dañar a sus esposas o a sus hijos!

Por casualidad encontraron a un joven egipcio tendido en el campo. El pobre estaba enfermo, fatigado y hambriento, de modo que le dieron pan, agua, un trozo de torta de higos secos y un racimo de pasas. Pronto el muchacho se sintió con fuerzas como para hablar. Dijo que era siervo de uno de los amalecitas que habían incendiado Siclag. Dijo también que había enfermado en el camino y que su amo lo había abandonado en el campo. Luego indicó a David la dirección que los amalecitas habían tomado. Recobrado el rumbo, David y sus cuatrocientos reanudaron la persecución.

Esa tarde alcanzaron al enemigo, ¡y qué espectáculo vieron! Allí estaban "los amalecitas esparcidos por todo el campo, comiendo, bebiendo y bailando, pues era muy grande el botín que habían cogido en la tierra de los filisteos y en la de Judá". Y en medio de los soldados ebrios reconocieron a sus esposas y

TRACION DE VERNON NYE

ntras perseguía a los amalecitas, David ontró a un muchacho esclavo enfermo. Refortado por los alimentos, éste pudo decirle qué dirección se habían ido los enemigos.

a sus hijos, algunos de los cuales sin duda estaban atados o encadenados.

Entonces David dio la orden de atacar y los cuatrocientos hombres se lanzaron al rescate de sus seres queridos. Así siguieron batiendo con furia a los amalecitas "desde aquella tarde hasta la tarde del día siguiente".

¡Cómo habrán gritado de alegría los niños al ver que sus padres venían a rescatarlos! Hasta me parece oírlos exclamar: "¡Mira, mamá, ahí viene papá a salvarnos!"

Cuando por fin terminó el combate, el campo de batalla se convirtió en una emocionada reunión en la que los esposos y las esposas, los hermanos y las hermanas, se abrazaban rebosantes de alegría. "David recobró cuanto los amalecitas se llevaran"; sí, todo: todas las madres, todos los niños, todos los rebaños y todo el botín, tal como Dios le había prometido.

Pronto, sin embargo, la alegría dio lugar a una áspera discusión. Cuando llegaron al lugar en que los doscientos habían quedado con el bagaje, algunos de los que habían combatido con David dijeron que los que no habían participado en la batalla no tenían derecho a recibir parte del botín y que debían conformarse con recuperar a su esposa y a sus hijos.

Pero David se opuso de inmediato a esa idea. En su corazón no había siquiera una pizca de mezquindad. "No hagáis eso después de lo que nos ha dado Jehová —les dijo—. La parte debe ser la misma para el que combate y para el que custodia el bagaje". Y así se hizo.

HISTORIA 14

El Triste Fin de Saúl

NO MUCHO después de haber consultado a la adivina de Endor, Saúl salió a la cabeza de su ejército, para hacer frente a los filisteos.

Aquel fue un mal día para los israelitas. Desde el mismo principio, la batalla estuvo prácticamente perdida. Puesto que el mismo rey se sentía desanimado, no había muchas posibilidades de victoria. Sabiendo que Dios ya no lo acompañaba, Saúl esperó la derrota y ésta llegó.

Apenas había comenzado el combate, "los hijos de Israel se pusieron en fuga ante los filisteos". Saúl y sus hijos también debieron retirarse mientras los filisteos los perseguían de cerca. Primero Jonatán fue muerto; después, sus dos hermanos. Pronto los arqueros enemigos descubrieron a Saúl y comenzaron a asediarlo. Seguro de que su fin estaba cerca, el rey le pidió a su escudero que lo matara; pero éste no lo quiso hacer. Entonces Saúl tomó su propia espada, "se echó sobre la punta de ella" y así se suicidó. "El escudero, viéndole muerto, se arrojó igualmente sobre la suya, y murió con él".

Al día siguiente, después de la batalla, cuando los filisteos estaban despojando a los muertos, llegaron al lugar en que yacían Saúl y sus tres hijos. Primero le cortaron la cabeza a Saúl, "se apoderaron de sus armas, e hicieron publicar esta buena noticia por toda la tierra de los filisteos, en los templos de sus ídolos y entre el pueblo".

Luego colgaron su cuerpo en la muralla de la ciudad de Betsán, pusieron sus armas "en el templo de su dios y colgaron su cabeza en el templo de Dagón".

¡Qué triste fin para el que una vez había sido elegido por Dios como primer rey de Israel! Pero, ¿por qué murió?

La Biblia dice que "murió Saúl porque se había hecho culpable de infidelidad hacia Jehová, cuyas palabras no guardó, y por haber preguntado y consultado a los evocadores de los muertos".

De modo que la verdadera causa de su muerte fue la desobediencia. Vez tras vez hizo lo contrario de lo que sabía que era lo recto, y finalmente sus transgresiones lo alcanzaron. Al ir a consultar a la adivina de Endor, dio un paso más allá del límite.

El desobedecer a Dios es siempre peligroso. Es cierto que si nos arrepentimos y le decimos que estamos apenados por nuestras faltas, él nos perdonará. Pero si seguimos haciendo a sabiendas las cosas que él nos pide que no hagamos, llegará el día en que podremos correr la misma triste suerte de Saúl.

SEGUNDA PARTE

Historias del Rey Pastor

(2° de Samuel 1:1 a 24:25; 1° de Crónicas 1:1 a 21:30)

2da PARTE

HISTORIA 1

El que Trajo la Corona

APENAS había estado David dos días en Siclag, después de haber derrotado a los amalecitas, cuando le llegaron noticias de la muerte de Saúl. En la ciudad incendiada todo el mundo había estado tan ocupado despejando los escombros y repartiéndose el botín, que nadie había tenido tiempo para pensar en lo que podía haberle ocurrido a Israel en su último encuentro con los filisteos.

Entonces llegó el mensajero cuyas noticias cambiaron el futuro de sus vidas.

David echó un vistazo al recién llegado y sospechó de inmediato que traía malas noticias, porque venía con los vestidos rasgados y con tierra en la cabeza. "¿Qué ha sucedido? Cuéntamelo", le ordenó.

El hombre comenzó entonces a decir que se hallaba por casualidad en el monte Gilboa cuando vio a Saúl que huía de los filisteos. Observó también cómo los carros y los caballeros estaban por alcanzarlo. En ese momento, dijo el hombre, Saúl lo había llamado y le había pedido que lo matara.

RACION DE RUSSELL HARLAN

soldado que trajo a David la corona y el zalete de Saúl afirmando haberlo matado, llevó una sorpresa cuando David lo castipor haber osado tocar al ungido del Señor.

"Entonces —prosiguió el mensajero— yo me acerqué a él y le maté, pues sabía muy bien que no sobreviviría a su derrota; cogiendo la diadema que llevaba en la cabeza y el brazalete que tenía en su brazo se los he traído aquí a mi señor".

Y diciendo esto tomó la corona y el brazalete y se los alcanzó a David. ¡Y cómo deben haber mirado todos la hermosa corona!

El hombre pensó que David le daría una gran cantidad de dinero por su falsa hazaña de haber matado a Saúl; pero estaba muy equivocado. Ese día no hubo regocijo en Siclag; nadie se alegró por la muerte de su perseguidor. Al contrario, todos "hicieron duelo, llorando y ayunando hasta la tarde, por Saúl, por su hijo Jonatán y por el pueblo de Jehová, que habían caído a la espada".

El mensajero no podía entender lo que ocurría. ¿A qué se debía todo ese llanto? ¿Acaso no había traído buenas noticias? Pero si esto lo intrigaba, mayor fue la sorpresa que recibió en seguida.

Dirigiéndole airadamente la palabra, David le exigió que le explicara cómo se había atrevido a matar al ungido del Señor. Asesinar al rey era, para David, un crimen terrible.

"Echate sobre él y mátale", ordenó a uno de sus ayudantes, y éste lo mató de un solo golpe. Entonces David, emocionado por lo ocurrido, compuso esta poesía acerca de Saúl y Jonatán, a quienes había amado tanto:

EL QUE TRAJO LA CORONA

"¡La flor de Israel muerta sobre tus colinas! ¡Cómo han caído los valientes! No lo contéis en Gad, no deis la nueva en las calles de Ascalón; para que no se alegren las hijas de los filisteos...

"Saúl y Jonatán, amados y carísimos, ni en vida ni en muerte se han separado; ellos, más raudos que águilas; más fuertes que leones...

"¡Cómo han caído los valientes en medio del combate! ¡Muerto Jonatán sobre tus collados! Angustia siento por ti, Jonatán, hermano mío, para mí tan querido. Era tu amor para mí más preciado que el amor de las mujeres.

"¡Cómo han caído los valientes y han perecido las armas guerreras!"

Así lloró David la muerte de Jonatán y también la de Saúl, a pesar de lo mal que éste lo había tratado. ¡No en vano Dios amaba a David y declaró que era "un hombre según su corazón"!

2da PARTE

HISTORIA 2

"Campo de Filos de Espada"

LA NOTICIA de la muerte de Saúl hizo surgir varias preguntas importantes en la mente de David. ¿Debía proclamarse a sí mismo rey o esperar un poco? ¿Debía permanecer en Siclag para reconstruirla o había de volver a Judá para vivir entre su propio pueblo? Como siempre, presentó sus inquietudes a Dios.

—¿He de subir a alguna de las ciudades de Judá? —preguntó.

—Sube —le respondió el Señor.

—¿A cuál de ellas subiré?

—A Hebrón.

Así, con toda confianza, David hablaba con Dios, buscando siempre hacer su voluntad. Y en vista de la respuesta que había recibido, él y los suyos abandonaron las ruinas de Siclag rumbo a las ciudades de Hebrón, donde cada uno fue a habitar con su familia.

¡Cuán felices se sentían de volver a sus hogares! Sus viejos amigos también se regocijaban de verlos después de un largo tiempo. "Vinieron los hombres de Judá y ungieron allí a David rey de la casa de Judá".

Pero aún no habían acabado las dificultades para David. Abner, el comandante en jefe del ejército de Saúl, declaró que Is-boset, hijo del difunto rey, era legítimo heredero del trono y lo proclamó rey de Israel. De modo que ahora había dos reyes: David, rey de Judá, e Is-boset, rey de Israel. Ambos monarcas tenían sus propios ejércitos. Abner era el comandante de uno, y Joab, del otro.

Cierto día los dos comandantes, acompañados de sus respectivos ejércitos, se encontraron "cerca del estanque de Gabaón y acamparon los unos de un lado del estanque y los otros del otro".

Luego de observarse mutuamente durante un rato, Abner dijo a Joab: "Salgan unos cuantos jóvenes y combatan a nuestra vista". Y Joab le respondió: "Que salgan".

Y así los doce jóvenes más fuertes de las filas del ejército de David avanzaron para luchar con los doce jóvenes escogidos de las tropas de Is-boset.

Aquellos veinticuatro jóvenes valientes deben haber presentado un magnífico espectáculo mientras se dirigían unos a otros para medir sus respectivas fuerzas y habilidades. Pero ambos grupos eran tan parejos que ninguno de ellos venció. "Tomando cada uno a su adversario por la cabeza, le hundió la espada en el costado y cayeron todos a una". Los veinticuatro murieron y fueron enterrados allí, y por eso se llamó a aquel lugar "Campo de filos de espada" o "Campo de los adversarios".

Luego de ese breve encuentro todas las tropas entraron en combate y "hubo aquel día muy recia batalla, y Abner y los hombres de Israel fueron vencidos por los seguidores de David".

Abner comenzó a huir para salvar su vida y mientras corría advirtió que Asael, hermano de Joab, lo perseguía de cerca. Sin dejar de correr, el fugitivo le advirtió al joven que no se le aproximara demasiado; pero como Asael rehusó hacerle caso, Abner lo hirió con la lanza en el abdomen y lo mató. Esa muerte fue algo que Joab jamás olvidó.

Aunque Abner logró escapar, aquella derrota fue el comienzo del fin para él. "Fue larga la guerra entre la casa de David y la casa de Saúl; pero David iba fortaleciéndose cada vez más, y la casa de Saúl cada vez más debilitándose".

Por fin el elegido de Dios estaba acercándose al trono.

2da PARTE

HISTORIA 3

Dos Acciones Viles

A MEDIDA que pasaban las semanas y los meses, Abner se dio cuenta de que su causa estaba perdida. David triunfaba dondequiera iba y todos lo querían como rey. En vista de esto, decidió abandonar a Is-boset y unirse a David.

Cuando David se enteró de ello, se alegró mucho porque advirtió que de esa manera se pondría fin a la guerra. Además, admiraba a Abner por sus cualidades militares y creía que llegaría a serle tan leal como una vez lo había sido a Saúl.

David puso como condición para la paz que le buscara a Mical, su primera esposa, y se la trajera. Abner aceptó el pedido y pronto le envió a Mical. Entonces se puso en contacto con los ancianos de Israel y les presentó su plan de unir el reino. "Hace mucho tiempo que andáis tratando de que sea David vuestro rey —les dijo—. Pues bien, hacedlo, puesto que Jehová ha hablado a David diciendo: Por medio de David, mi siervo, salvaré a mi pueblo, Israel, del poder de los filisteos y de manos de todos sus enemigos".

Cuando todos los ancianos de Israel aceptaron el plan, Abner se dirigió hacia Hebrón, donde residía David, acompañado de veinte hombres. "Y David dio un banquete a Abner y a los que con él habían ido".

Todos pasaron momentos muy felices juntos. David, magnánimo como siempre, pasó por alto todo lo que Abner le había hecho en lo pasado. Este, por su lado, le prometió hacer lo mejor de su parte para que todo Israel lo aceptara como rey. "Voy a levantarme —le dijo—, y partiré para reunir a todo Israel y traerle a mi señor el rey. Ellos harán alianza contigo y tú reinarás como deseas".

David despidió luego a Abner, y éste se fue a realizar el plan que había presentado al rey.

Aquel pudo haber sido el comienzo de acontecimientos muy felices; pero por desgracia no lo fue. Pues cuando Joab se enteró de lo ocurrido mientras estaba ausente, se puso furioso.

"¿Cómo has hecho esto? —le dijo a David airadamente—. Ha venido a estar contigo Abner; ¿por qué, pues, le has dejado irse en paz?. . . Ha venido a engañarte y a espiarte en tus entradas y salidas y sorprender tus planes".

DOS ACCIONES VILES

Para Joab, Abner no era otra cosa que un espía; además, lo odiaba por haber matado a su hermano Asael. Y así, sin decírselo a David, envió mensajeros para que alcanzaran a Abner y le dijeran que volviera a Hebrón.

Suponiendo que David deseaba verlo de nuevo, Abner regresó de buena gana, esperando disfrutar de otro encuentro amigable con el rey y tal vez de otro banquete. Sin embargo, al llegar, Joab lo llevó aparte "como para hablarle en secreto, le hirió en el vientre y le mató en venganza de la sangre de Asael, su hermano".

Cuando David se enteró del asesinato, se horrorizó. Luego ordenó a Joab que rasgara sus vestiduras, se vistiera de saco e hiciera duelo por el hombre a quien había matado a traición. Y cuando se celebró el funeral, el mismo rey David caminó detrás del féretro. Además, dijo a sus servidores: "¿No veis que ha caído hoy en Israel un gran capitán y un gran hombre?"

David no estaba sólo triste sino también avergonzado de que uno de sus hombres de confianza hubiera cometido una acción tan vil. Por eso rehusó comer durante todo el día y "todo el pueblo lo supo, viendo con agrado lo que hacía el rey; y comprendió aquel día que no había sido obra del rey la muerte de Abner".

Poco después de esto, cuando todos los del reino supieron de la muerte de Abner, dos capitanes de bandas de merodeadores, llamados Baana y Recab, pensando obtener el favor de David, decidieron eliminar a Is-boset, el rey rival.

Trazaron los planes y un día, durante las horas de calor, entraron en la casa de Is-boset y lo encontraron durmiendo la siesta. Lo mataron allí mismo, le cortaron la cabeza y se la trajeron a David diciéndole: "Ahí tienes la cabeza de Is-boset, hijo de Saúl, tu enemigo, que te perseguía; Jehová ha vengado hoy a mi señor, el rey, de Saúl y su descendencia".

Pero estos dos ambiciosos no podían haber cometido un error más grande. David se airó con ellos aún más de lo que se había enojado con Joab. "Vive Jehová —les dijo—. . . , que si al que me anunció, diciendo: Ha muerto Saúl, creyendo anunciarme cosa grata para mí, le cogí y le maté en Siclag. . . , ¿cuánto más ahora, que unos malvados han quitado la vida a un hombre inocente, en su casa, en su lecho?"

"Dio, pues, orden David a sus gentes de matarlos". Y así lo hicieron.

De este modo David dio a entender claramente a todos que mientras él ocupara el trono no aprobaría ninguna acción vil ni traicionera.

2da PARTE

HISTORIA 4

David es Coronado Rey

DESDE que David había matado a Goliat habían transcurrido quince años, la mayoría de los cuales los había pasado ocultándose de su airado suegro. Ahora tenía treinta años de edad y era amado por todo el pueblo, desde un extremo del reino hasta el otro.

David ya había sido ungido rey por los habitantes de Judá, pero ahora el resto de Israel, que durante un tiempo había permanecido fiel al hijo de Saúl, también decidió ponerse bajo su dominio. "Vinieron, pues, todos los ancianos de Israel a David, a Hebrón... y ungieron a David rey sobre todo Israel".

¡Qué magnífica ceremonia de coronación se celebró entonces! ¡Qué estupendos desfiles! La tierra de Palestina jamás había visto algo así.

Miles de personas vinieron de todas partes a presenciar la ceremonia. Además, cada tribu envió sus mejores soldados, totalmente armados. Y puedes estar seguro de que sus espadas, lanzas y escudos habían sido pulidos hasta que brillaban como espejos.

A la cabeza de la larga formación de tropas venían los 6.800 soldados de Judá, armados de escudo y lanza. Míralos avanzar marcando el paso.

Después venían los 7.100 "hombres valerosos para la guerra" de la tribu de Simeón. Luego los 4.600 de los hijos de Leví. "Y Sadoc, joven valeroso, con 22 de los principales de la casa de su padre".

Inmediatamente después avanzaban 3.000 hombres de la tribu de Benjamín, la mayoría de los cuales habían servido a Saúl hacía poco.

DAVID ES CORONADO REY

Luego venía un espléndido grupo: los 20.800 "hombres valientes, gentes de renombre" de la tribu de Efraín. A éstos los seguían los 18.000 de la media tribu de Manasés, que habían sido "nominalmente designados para ir a proclamar rey a David".

De entre los hijos de Isacar venían "210, hombres inteligentes, sabedores de lo que había de hacer Israel, y cuyo consejo era respetado por todos". Inmediatamente después, los 50.000 soldados de Zabulón, marchando en perfecto orden, "provistos de toda clase de armas para el combate, prestos a librar batalla con ánimo resuelto".

De la tribu de Neftalí vinieron 1.000 capitanes y 37.000 soldados que llevaban escudo y lanzas, y de la de Dan 28.600 hombres armados para la guerra.

Más atrás podían verse los 40.000 "hombres de guerra prestos para el combate" de la tribu de Aser. Luego ve-

nía el impresionante ejército enviado por las tribus que vivían del otro lado del Jordán: ¡120.000 representantes "de los rubenitas, gaditas y de la media tribu de Manasés"! ¡Qué espectáculo habrán ofrecido!

"Todos estos hombres, gente de guerra, prestos para el combate, llegaron a Hebrón con leal corazón para hacer a David rey de todo Israel, y todo el resto de Israel estaba igualmente unánime en querer a David por rey".

Después del desfile y de la ceremonia de coronación, se celebró un gran banquete que duró tres días. Casi es innecesario decir que esas decenas de miles de personas habrán consumido cantidades enormes de alimentos y bebidas. La Biblia dice que el festín fue preparado por los que vivían cerca de Hebrón, quienes "trajeron en asnos, camellos, mulos y bueyes pan, harina, masas de higos y pasas, vino, aceite, bueyes y ovejas en abundancia".

Todo el mundo estaba feliz. ¡Qué magnífico comienzo para el reinado de David! Entre los que se hallaban presentes en la enorme multitud se encontraban algunos de los amigos íntimos de David, que lo habían acompañado durante los días difíciles en que huía de Saúl. ¡Cómo habrán disfrutado al comer juntos y evocar aquellos emocionantes días!

Destacándose entre los demás se hallaban los "tres campeones", uno de los cuales había luchado solo contra trescientos hombres y los había derrotado. Otro, en un momento de gran peligro mientras el pueblo huía, había combatido hombro a hombro junto a David en un campo de cebada y puesto en fuga a los filisteos.

Una de las cosas que los tres campeones habrán recordado es la ocasión en que, mientras estaban ocultos en la cueva de

Adulam, David exclamó: "¡Quién me diera poder beber agua de la cisterna que está a la puerta de Belén!" Sin dudar un momento, los tres valientes habían salido a buscársela. Abriéndose paso por entre las filas de los enemigos, habían llegado al pozo y traído el agua. Tan emocionado se había sentido David al observar esa extraordinaria prueba de valentía y devoción, que había rehusado beber el agua "porque era ciertamente con riesgo de la vida como la habían traído". De modo que, con reverencia, la había vertido en tierra como una ofrenda a Dios.

Otro de los notables que habían asistido a la coronación era Benaía, "hombre de mucho valor y célebre por sus hazañas". Es probable que alguno de los comensales haya mencionado cómo Benaía "mató a dos valientes de Moab, y un día de nieve, bajando a una cisterna, mató a un león". En otra ocasión había enfrentado a un gigantesco soldado egipcio que medía más de dos metros de altura y que blandía una lanza descomunal. Benaía "bajó contra él con un palo y le arrancó de la mano la lanza, con la que le mató".

Junto con estos grandes héroes había muchos otros valientes que habían ayudado a David. "Eran arqueros y tiraban piedras lo mismo con la mano derecha que con la izquierda y disparaban flechas con el arco". Además estaban presentes muchos "soldados diestros en la guerra, armados de escudo y lanza, semejantes a leones y ligeros como cabras monteses" en el combate. "Uno solo, el menor de todos, era capaz de atacar a cien hombres, y el mayor, a mil".

Con valientes como éstos, no sorprende que David hubiera ganado la guerra y llegado a ocupar el trono de Israel.

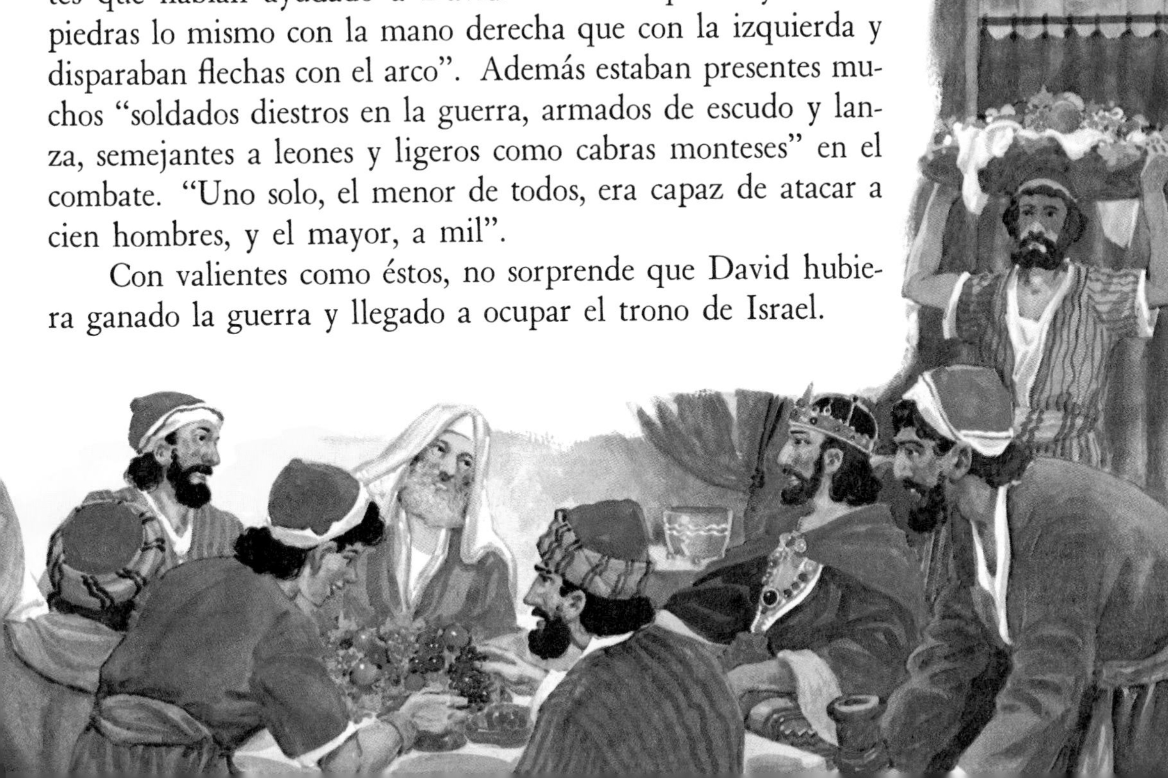

HISTORIA 5

La Ciudad de David

POCO después de haber sido coronado rey de Israel, David decidió tomar la ciudad de Jerusalén, que pertenecía a los jebuseos, para convertirla en capital de su reino.

David conocía bien la zona porque quedaba a sólo pocos kilómetros de Belén, donde había nacido. Y sin duda, cuando huía de Saúl, más de una vez habrá deseado poseer una fortaleza tan sólida como ésa.

No se sabe exactamente durante cuánto tiempo habían vivido los jebuseos en esa "fortaleza de Sion", pero lo cierto es que ya estaban en ella cuando los israelitas invadieron Palestina a las órdenes de Josué. En aquel entonces debían haber sido expulsados, según la orden de Dios; sin embargo, tal vez debido a que el lugar era muy fortificado, no se había cumplido con ese mandato.

Puesto que habían rechazado con éxito muchos ataques enemigos a través de los años, los jebuseos se sentían perfectamente seguros. No tenían dudas de que ni siquiera David, con todos sus hombres valientes, era capaz de apoderarse de la ciu-

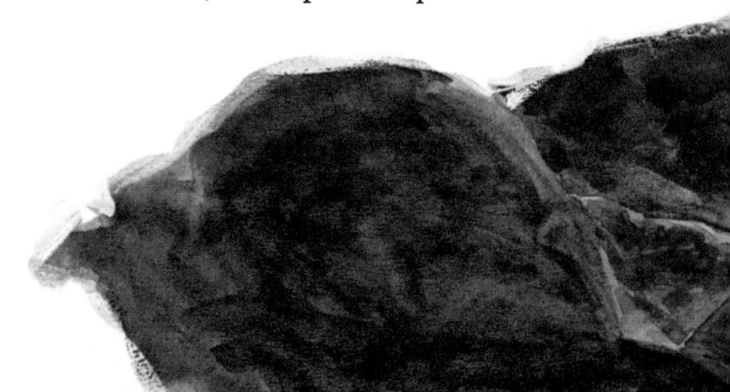

dad. Hasta se permitían el lujo de burlarse de él diciéndole de que aunque todos los que vivían en Jerusalén fueran ciegos y cojos, David jamás podría apoderarse de la fortaleza.

Sin embargo, ellos no conocían bien a David. . . Ignoraban que, cuando era niño, él bien podía haber merodeado por los alrededores de la ciudad y llegado a familiarizarse con todos sus detalles. Nunca se les ocurrió a los jebuseos que el jefe del ejército que los atacaba podía saber que el canal o túnel de agua era el punto débil de la ciudad y que aun David mismo pudo haber trepado por él en su juventud.

Mientras planeaba el ataque a la ciudad, David se acordó de ese canal de agua y prometió que al primero que trepara por él lo nombraría general en jefe del ejército. Joab, un sobrino de

David, se ofreció a hacerlo. Otros lo siguieron, y así se apoderaron de la fortaleza. Pronto la gente dejó de llamarla Jerusalén y se la conoció con el nombre de "la ciudad de David".

Feliz y orgulloso de haber podido llegar a ser dueño de esa famosa fortaleza, David comenzó a construir edificios de todo tipo para alojar a sus tropas y a los oficiales del gobierno. Así empezó a crecer lo que con el tiempo llegaría a ser la renombrada ciudad de Jerusalén, capital del reino.

"Y David iba engrandeciéndose de continuo, pues Jehová, Dios de los ejércitos, estaba con él". Pronto su fama se extendió ampliamente, llegando a ser conocido como un gobernante sabio y bueno. Hasta el famoso Hiram, rey de Tiro, le envió "una embajada y maderas de cedro, carpinteros y canteros, que edificaron la casa de David". Esto, por supuesto, lo alegró mucho y le dio a David la seguridad de que el Señor lo "había confirmado rey de Israel".

Los únicos que no estaban felices al ver todos estos progresos eran los antiguos enemigos de Israel: los filisteos. Se daban cuenta de que David estaba llegando a ser cada vez más poderoso. Por eso decidieron combatir nuevamente a Israel e "hicieron una incursión en el valle de Refaim".

Al enterarse de esto, David pidió consejo a Dios.

—¿Subiré contra los filisteos? —le preguntó—. ¿Los entregarás en mis manos?

—Sube —le respondió Dios—, pues de cierto los entregaré en tus manos.

Animado por esa promesa, atacó a los filisteos y obtuvo una gran victoria. Estos huyeron tan a prisa, que "dejaron allí sus ídolos", los cuales fueron quemados por David y sus hombres. El espectáculo que ofrecían esos ídolos caídos en el campo

de batalla debe haberles recordado la ocasión en que Dagón cayó en tierra ante el arca del Señor.

Los filisteos, sin embargo, no quedaron inactivos por mucho tiempo. Pronto lanzaron otro ataque, y una vez más David le preguntó a Dios qué debía hacer. Esta vez el Señor le explicó exactamente cómo trazar el plan de batalla. Le ordenó que no fuera abiertamente al encuentro del enemigo, sino que se lanzara al ataque por sorpresa desde un bosquecillo de balsameras: "Cuando entre las balsameras oigas ruidos de pasos —le dijo Dios—, ataca fuertemente, porque es Jehová, que marcha delante de ti para derrotar al ejército de los filisteos".

David obedeció al pie de la letra. Condujo a sus hombres hasta un bosquecillo de esos árboles que producen el bálsamo, y todos se escondieron allí, aguardando la señal prometida. ¡Cómo deben haberse concentrado, en silencio, para percibir el ruido de pasos! Durante un largo rato todo estuvo en absoluto silencio.

Entonces, repentinamente, vino el aviso. Tal vez al principio era un leve rumor, suave como si fuera producido por las alas de los ángeles. Después fue creciendo en intensidad, hasta que todo el bosque resonó con los ecos de los pasos.

Con un grito de júbilo, los hombres de David salieron de su escondite y se lanzaron al ataque. Pusieron en fuga a los sorprendidos filisteos y los derrotaron por completo.

2da PARTE

HISTORIA 6

El Arca Llega a la Capital

POCO después de haber sido coronado rey, David reunió a los dirigentes de la nación y les habló de un tema en el que había estado pensando mucho últimamente: la seguridad del arca de Dios.

Durante los años difíciles de lucha entre los israelitas y los filisteos, casi todos se habían olvidado de ese precioso cofre hecho de madera costosa y recubierto de oro que contenía los Diez Mandamientos dados por Dios en el Sinaí. Lo cierto es que ya no era más, como durante el éxodo, el centro del culto de Israel.

Después de haber sido sacada del tabernáculo por Ofni y Finees —los dos malvados hijos de Elí—, el arca había sido tomada por los filisteos; pero les había causado tantas dificultades, que éstos la habían enviado de vuelta a Israel en un carro tirado por dos vacas. El arca no había llegado de vuelta, sin embargo, al tabernáculo. Había permanecido durante muchos años en la casa de un hombre llamado Abinadab que vivía en Quiriat-jearim, a unos doce kilómetros al oeste de Jerusalén.

David estaba convencido de que algo tan antiguo y sagra-

do como el arca debía conservarse con todo cuidado en la nueva capital del país. "Traigamos el arca de nuestro Dios —les dijo a los dirigentes—, pues no nos hemos cuidado de esto desde el tiempo de Saúl".

El plan fue aceptado. "Toda la asamblea resolvió hacer así, pues la cosa pareció conveniente a todo el pueblo. Reunió, pues, David a todo el pueblo. . . , para traer de Quiriat-jearim el arca de Dios".

Abinadab debe haberse sorprendido al ver que venían hacia su casa personas desde todas direcciones. Miles y miles continuaron llegando, hasta que por fin David mismo arribó.

Con respeto, el arca fue sacada de la casa de Abinadab y colocada sobre un carro nuevo para iniciar la marcha hacia Jerusalén. El honor de conducir el vehículo fue concedido a los dos hijos de Abinadab, llamados Uza y Ahío. Y al ponerse en marcha el carro, la enorme multitud estalló en un canto de alabanza. "David y todo Israel danzaban delante de Dios con todas sus fuerzas y cantaban y tocaban arpas, salterios y tímpanos, címbalos y trompetas".

La música y los cánticos continuaron a medida que la larga procesión avanzaba solemnemente hacia la ciudad de David.

Todos estaban muy felices, pues les parecía que el transporte del arca a un lugar seguro marcaría el fin de todas sus dificultades y el comienzo de una época feliz para Israel. Repentinamente, sin embargo, algo terrible sucedió.

Cuando la procesión pasaba por la era de Nacón, donde tal vez el camino era más áspero que en otras partes, el arca comenzó a sacudirse. Temiendo que pudiera caerse del carro y dañarse, Uza extendió la mano para sostener el arca... y cayó muerto.

Todos los que vieron lo sucedido se llevaron una tremenda impresión. Otros se arrimaron para ver qué había ocurrido. La procesión se detuvo y, a medida que la triste noticia iba pasando de boca en boca, la música fue cesando.

La gente comenzó a preguntarse por qué Uza había sido muerto. Y esa misma pregunta se la han formulado muchos desde entonces. La única explicación que puede darse es que Uza sabía muy bien que no debía tocar el arca y que su acto de desobediencia realizado ante tanta gente, aunque era bien intencionado, debía ser castigado con severidad.

David se apenó mucho por lo ocurrido y decidió dejar de transportar el arca ese día. La hizo conducir hasta el hogar de Obed-edom y todo el mundo se volvió a su casa.

Durante los tres meses siguientes el hogar de Obed-edom fue bendecido de manera tan extraordinaria, que la noticia de su buena fortuna se extendió por kilómetros a la redonda. Cuando David se enteró de lo que estaba sucediendo, decidió intentar una vez más traer el arca a Jerusalén.

De inmediato se hicieron los preparativos. David ordenó a todos los que iban a tomar parte en la procesión que se santificaran y que pidieran perdón a Dios por todos sus pecados.

La primera vez, dijo el rey, habían tenido dificultades porque "no le consultamos como era de rigor". Por eso quería hacer todo lo necesario para que no volviera a ocurrir lo mismo.

Esta vez el arca fue transportada en hombros y cuando los que la llevaban avanzaron seis pasos, David ofreció sacrificios. Luego, a medida que seguía avanzando, el rey danzaba "con toda su fuerza delante de Jehová". "De esta manera llevó todo Israel el arca de la alianza de Jehová entre gritos de júbilo, al son de las bocinas".

Reverentemente fueron subiendo por el camino, pasaron por los portales y entraron en la ciudad. Puedes estar seguro de que nadie tocó el arca esta vez.

Traída el arca de Dios, "pusiéronla en medio de la tienda que David había alzado para ella". Luego el coro entonó una canción que el rey David había compuesto especialmente para la gran ocasión:

"Alabad a Jehová, invocad su nombre. Pregonad a los pueblos sus hazañas. Cantadle, cantad salmos en su honor. Contad todos sus portentos. Gloriaos en su santo nombre; alégrese el corazón de los que buscan a Jehová...

"Cantad a Jehová, habitantes todos de la tierra; pregonad uno y otro día su salvación, contad a los pueblos su gloria, sus maravillas a los pueblos todos...

"Bendito Jehová, Dios de Israel, por eternidad de eternidades; y bendiga todo el pueblo. Amén. Alabad a Jehová".

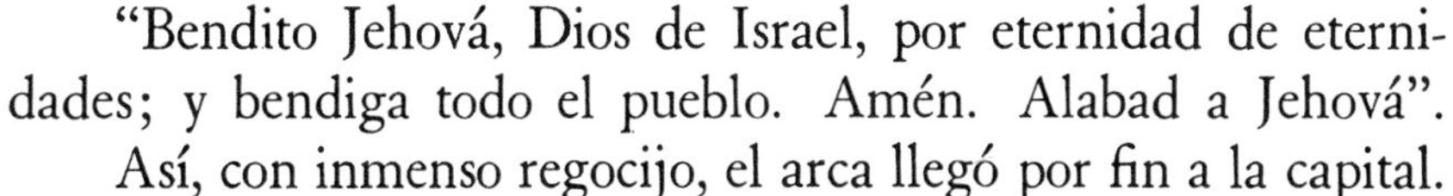

Así, con inmenso regocijo, el arca llegó por fin a la capital.

2da PARTE

HISTORIA 7

Ante el Señor

LOS años pasaron. Los constructores dieron los últimos toques al hermoso hogar de David en Jerusalén. El que de niño había sido pastor, vivía ahora en un palacio. Sin embargo, no se sentía completamente feliz. Algo lo preocupaba. Cierto día se lo dijo al profeta Natán.

"Ya ves —comenzó diciéndole—; yo habito en casa de cedro, y el arca de Jehová está en una tienda". David estaba convencido de que Dios debía tener, para manifestarse en esta tierra, un sitio mejor que su propio palacio.

Esa noche el Señor se comunicó con Natán y le dijo cuánto le había agradado que David hubiera pensado en él. En seguida le dio a Natán un mensaje especial para el rey, que el profeta le comunicó al día siguiente.

"Así habla Jehová de los ejércitos: Yo te tomé de la majada de detrás de las ovejas para que fueses príncipe de mi pueblo, de Israel. He estado contigo por dondequiera que has ido; he exterminado de delante de ti a todos tus enemigos y te estoy haciendo un nombre grande, como el de los grandes de la tierra... Hácete, pues, saber Jehová... que cuando se cumplieren tus días y te duermas con tus padres, suscitaré a tu linaje y afirmaré su reino... Permanente será tu casa y tu reino para siempre ante mi rostro; y tu trono estable por la eternidad".

Mientras Natán le comunicaba a David lo que Dios había dicho acerca de él, el rey sintió una muy profunda emoción. Apenas terminó de oír el mensaje, entró probablemente en el tabernáculo donde había puesto el arca, y se puso *"delante de Jehová"*. Allí se inclinó con humildad ante Dios y le agradeció por todas sus bondades. Su oración de gratitud es una de las más hermosas que se encuentran en la Biblia.

"Mi Señor, Jehová, ¿quién soy yo y qué es mi casa para que hasta tal punto me hayas traído?... ¿Qué más podrá decirte David? Tú, ¡oh mi Señor, Jehová! conoces a tu siervo... ¡Qué grande eres, mi Señor, Jehová! No hay nadie que se te asemeje ni hay Dios fuera de ti...

"Mantén, pues, siempre, mi Señor, Jehová, la palabra que

has dicho a tu siervo y de su casa, y obra según tu palabra, y sea glorificado por siempre tu nombre. . .

"Tenlo, pues, a bien y bendice la casa de tu siervo, para que subsista siempre delante de ti; porque tú mi Señor, Jehová, has hablado, y con tu bendición será por siempre bendita la casa de tu siervo".

Así, sentado ante el Señor, David conversó con él como con un amigo. El no sabía, por supuesto, de qué manera planeaba Dios cumplir su maravillosa promesa. David no podía ver el futuro ni imaginarse que, mediante Jesucristo, su casa, su nombre y su reino serían establecidos para siempre. Lo único que hizo fue confiar en que Dios cumpliría su promesa de la manera que él creyera mejor y en el momento más conveniente.

¡Qué hermoso es conversar con Dios de esa manera!

Tú y yo también podemos hacerlo.

Vayamos a alguna parte para sentarnos solos ante el Señor y para contarle lo que sentimos.

Si lo amamos como David, y si somos tan humildes y reverentes como él lo era, el Señor también afirmará nuestro nombre para siempre. Porque la promesa que le hizo a David hace tanto tiempo vale también para todos sus hijos ahora y para siempre.

2da PARTE

HISTORIA 8

"La Misericordia de Dios"

DAVID estaba siempre pensando en cómo hacer bien a alguien. Tal vez ésa es otra de las razones por las que Dios una vez lo llamó "un hombre según su corazón". Cierta vez, mientras evocaba los días pasados, se acordó de su viejo amigo Jonatán, a quien tanto había amado. ¡Qué pena que hubiera muerto en aquella batalla contra los filisteos! Si aquello no hubiera ocurrido, ¡qué momentos felices habrían podido pasar juntos!

Entonces David comenzó a preguntarse si no habría quedado vivo algún descendiente de Saúl por quien pudiera hacer algo como muestra de su cariño por el difunto Jonatán. Mientras conversaba del asunto con sus amigos, alguien le sugirió que tal vez un hombre llamado Siba podría darle algunos datos al respecto. Este no sólo había sido una vez siervo de Saúl, sino que ahora tenía quince hijos y veinte criados, y alguno de ellos seguramente podría proporcionarle la información que buscaba.

David aceptó la idea y mandó a buscar a Siba.

—¿Eres tú Siba? —le preguntó al presentarse ante él.

—Tu siervo —respondió el hombre, inclinándose.

—¿No queda ninguno de la casa de Saúl a quien pueda hacer yo misericordia de Dios?

—Queda todavía un hijo de Jonatán —le dijo Siba—, que está lisiado de ambos pies.

¡De modo que un hijo de Jonatán vivía aún!

—¿Dónde está? —preguntó ansiosamente David. Y Siba sabía exactamente dónde se encontraba.

—Está en casa de Maquir, hijo de Amiel —respondió—, en Lodebar.

Sin un instante de demora, David envió mensajeros a Lodebar para traer al hijo de Jonatán, que se llamaba Mefi-boset.

Cuando el rey vio llegar a Mefi-boset sintió lástima por él, porque era cojo. Además, el pobre hombre estaba muy atemorizado porque temía que David lo hubiera llamado para matarlo. Por eso se prosternó y se echó sobre su rostro ante el rey. Pero en realidad no debiera haber tenido temor.

—Mefi-boset —le dijo David, en cuya voz había acentos de profunda bondad.

—Aquí tienes a tu siervo —respondió el hombre.

—Nada temas —prosiguió David—, porque quiero favorecerte por amor a Jonatán, tu padre. Te devolveré todas las tierras de Saúl, tu padre, y comerás siempre a mi mesa.

Mefi-boset volvió a prosternarse ante el rey, casi sin poder creer lo que oía.

—¿Qué es tu siervo para que pongas tu vista en un perro muerto como yo? —le dijo, profundamente agradecido.

David quiso saber entonces cómo había llegado a quedar cojo, y se le informó que el accidente había ocurrido cuando Mefi-boset tenía cinco años de edad, el mismo día en que su

**i-boset, el hijo cojo de Jonatán, se pre-
ó temblando ante el rey; pero David lo
5 bondadosamente en homenaje a su pa-
y lo invitó a vivir con él en el palacio.**

padre Jonatán había sido muerto en la batalla. Cuando llegaron al palacio las noticias de la derrota de Israel, su nodriza lo había alzado para huir, temiendo que los filisteos vinieran a matarlo a él también. En la precipitación de la fuga, la nodriza lo había dejado caer y el niño se había quebrado las piernas. Y puesto que entonces nadie sabía cómo atender un caso tal, el pobre había quedado cojo para toda la vida.

Mientras David oía el relato, llegó a sentir aún más compasión por Mefi-boset y dio órdenes para que se hiciera todo lo posible por ayudarlo. Luego ordenó a Siba:

—Todo cuanto pertenece a Saúl y a toda su casa se lo doy al hijo de tu amo. Tú cultivarás por él las tierras, tú, tus hijos y tus siervos, y le traerás la cosecha, para que la casa de tu amo tenga de qué vivir, y Mefi-boset, tu amo, comerá siempre a mi mesa.

—Todo se hará como el rey, mi señor, se lo manda a su siervo —respondió Siba.

Este debe haberse sentido muy feliz, no sólo por lo que había ocurrido con el hijo de Jonatán, sino porque su propia suerte había cambiado en forma repentina. El cuidar de las tierras de Saúl era una ocupación importante y significaba que sus quince hijos y sus veinte criados tendrían trabajo y alimentos en abundancia.

En cuanto a Mefi-boset, puedes estar seguro de que estaba admirado de la bondad de David hacia él. Ya no necesitaría seguir viviendo en la diminuta localidad de Lodebar, sino en Jerusalén, la capital. Desde ese momento comería a la mesa del rey y sería "como uno de los hijos del rey".

¡Cuán bueno fue David al mostrar de esta manera el amor que sentía por su viejo amigo Jonatán!

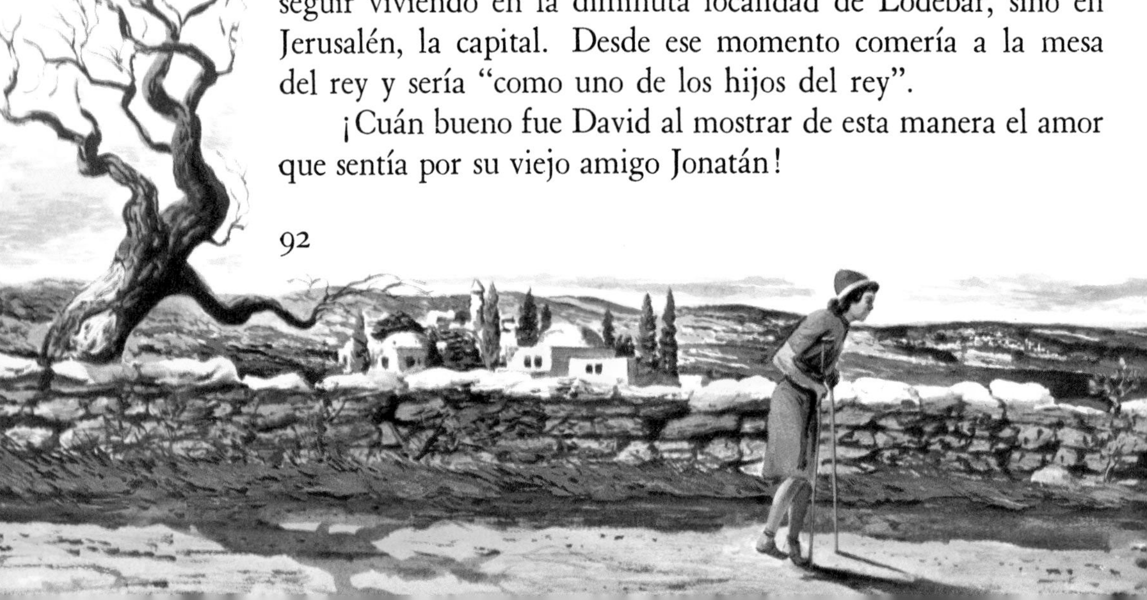

2da PARTE

HISTORIA 9

Luchemos Valientemente

NO TODAS las acciones bondadosas de David fueron debidamente apreciadas. Una de ellas le ocasionó grandes dificultades.

Al enterarse de que había muerto el rey de Amón, decidió enviar algunos de sus siervos con un mensaje de condolencia para la familia del difunto. Quería que el nuevo rey supiera que él no se había olvidado de la bondad con que su padre lo había tratado cuando huía de Saúl.

Pero cuando los embajadores de David llegaron a las tierras de Amón, fueron tratados como espías, no como amigos. Los príncipes de los hijos de Amón le dijeron al rey: "¿Crees tú que para honrar a tu padre ha mandado David consoladores? ¿No los ha mandado más bien para explorar la ciudad, con el fin de destruirla?"

¡Cuán desconfiados eran! No podían creer que hubiera un rey extranjero lo suficientemente bondadoso como para enviar mensajeros a tan gran distancia con el único propósito de expresar condolencias por la muerte de un viejo amigo.

El joven rey de Amón aceptó el consejo de los príncipes y decidió tratar a los embajadores de David como a enemigos. Por eso les rapó "la mitad de la barba y les cortó los vestidos hasta la mitad de las nalgas, y los despachó".

¡Imagínate cuán avergonzados y molestos se sentían estos pobres al volver a casa! Y David, tan pronto como oyó lo que habían hecho a sus embajadores, se enojó muchísimo. Además, ordenó a sus enviados que no regresaran a Jerusalén sino que permanecieran en Jericó hasta que les volviera a crecer la barba.

Entretanto Amón, enterado del enojo de David, decidió iniciar la guerra contra los israelitas antes de que éstos estuvieran preparados para atacarlo. Con ese propósito envió mil talentos de plata a Mesopotamia y a Siria para tomar a sueldo a 32.000 carros con sus soldados. "Los hijos de Amón se reunieron en sus ciudades y salieron para combatir.

"Al recibir David estas nuevas, mandó contra ellos a Joab y todo el ejército, hombres valerosos". Joab, que tenía larga experiencia adquirida en muchos encuentros, echó una mirada a las tropas enemigas formadas frente a él y a sus espaldas, y trazó el plan de batalla: él tomaría consigo los mejores hombres para luchar contra los sirios y dejaría a los demás soldados a las órdenes de su hermano Abisai para combatir contra los amonitas.

"Si los sirios son más fuertes que yo —le dijo a su hermano—, vas tú en socorro mío, y si los hijos de Amón son más fuertes que tú, iré yo en socorro tuyo".

LUCHEMOS VALIENTEMENTE

Entonces dirigió a su hermano y a todos sus soldados esta breve y entusiasta arenga: "Esfuérzate y luchemos valientemente por nuestro pueblo y por las ciudades de nuestro Dios, y que haga Jehová lo que mejor le parezca".

Al salir para combatir, los israelitas llevaban todavía frescas en sus oídos esas valientes palabras: "¡Luchemos valientemente!" No sorprende entonces que los sirios se hubieran puesto en fuga. No tenían ánimo para combatir, porque eran sólo mercenarios. Los soldados de Israel, en cambio, lucharon como hombres inspirados por un ideal.

"Y los hijos de Amón, viendo que huían los sirios, huyeron también ellos ante Abisai, y buscaron refugio en la fortaleza de Rabá".

De esa manera los amonitas perdieron la batalla, los mil talentos de plata y la amistad de los hijos de Israel. Todo por haber tratado tan rudamente a los embajadores de David.

HISTORIA 10

Cae una Sombra

LA HISTORIA de la derrota de los amonitas tuvo un triste fin.

Al año siguiente, David envió a Joab con todos los hombres de Israel para sitiar la ciudad de Rabá, capital del reino de los amonitas. El sabía muy bien que Israel no podía sentirse seguro hasta que esa fortaleza cayera en su poder.

Esa vez David no fue con su ejército a la batalla, sino que permaneció en el palacio con su familia. Y fue entonces cuando una oscura sombra cayó sobre Jerusalén y sobre su reino.

Hasta ese momento David había sido en todas sus acciones un hombre bueno y noble. La gente lo consideraba el defensor de la rectitud y la verdad. Todos estaban muy felices de que por fin tenían en el trono a un hombre que era leal al Dios del cielo. Lo amaban por lo que había hecho para resucitar la santa religión de sus antepasados y por honrar la ley de Dios al hacer traer el arca del pacto.

Debido a todo esto y a su corazón amable y generoso, Dios lo había bendecido en gran medida. A través de muchos peligros y dificultades el Señor lo había traído desde su humilde trabajo de pastor de ovejas hasta el trono de Israel —de la pobreza a la abundancia— y lo había enriquecido muchísimo.

David era ahora rey sobre toda la tierra que se extendía entre Egipto y el Eufrates. Esto quiere decir que Dios había cumplido en él la promesa hecha a Abrahán: "A tu descendencia he dado esta tierra desde el río de Egipto hasta el gran río, el Eufrates" (Génesis 15:18).

Como era costumbre en aquellos días, David tenía varias esposas y muchísimos hijos. En verdad su casa debe haber estado llena de niños y niñas que lo llamaban "papá". Cualquiera pensaría que con todo eso tenía lo suficiente como para sentirse feliz. Pero no. Como ocurre a menudo con las personas a quienes Dios ha concedido mucho, él deseó más: codició algo que él sabía que no podía tener.

A nadie le gusta narrar esta historia, y sin embargo debe hacérselo. Mientras el ejército estaba sitiando a Rabá, David se enamoró de la esposa de Urías heteo, uno de los soldados más nobles y valientes. Luego, para empeorar la situación, escribió una carta a Joab en la que le ordenaba que pusiera a Urías en el punto donde más dura fuera la lucha para que de ese modo muriese en la batalla. Y luego le pidió al mismo Urías que llevara la carta... ¡la orden de su propia muerte!

Esto muestra cómo una mala acción lleva siempre a otra. ¡Imagínate lo que debe haber pensado Joab cuando recibió una

carta tal de parte del rey! Seguramente debe haberse preguntado qué andaba mal. Sin embargo, obedeció. Colocó a Urías cerca del muro de Rabá, donde "estaban los más valerosos defensores", y durante un reñido combate resultó muerto.

Cuando David se enteró de ello, pensó que su intriga había tenido un buen fin. Estaba seguro de que nadie se enteraría de lo que había hecho. Aguardó hasta que la esposa de Urías, Betsabé, hubiera cumplido los días de luto, y entonces la mandó buscar y se casó con ella. ¿Podía haber algo más natural?...

Pero si David pensó que Dios no había visto su acción o que no le concedía importancia, estaba muy equivocado. El Señor lo sabía todo y se sentía muy chasqueado. La Biblia dice que "lo que había hecho David fue desagradable a los ojos de Jehová".

Aquella acción era realmente vergonzosa. Si la hubiera cometido un hombre común, habría sido mala; pero, puesto que lo había realizado el rey —que debía ser un ejemplo para su pueblo—, aquello era terrible. ¡Después de todo lo que David había dicho acerca de guardar los Diez Mandamientos, él mismo los había quebrantado todos de una vez! Había dado ocasión a que "menospreciasen a Jehová sus enemigos".

Así, la sombra de un gran pecado cayó sobre David y su familia, sobre Jerusalén y todo Israel.

2da PARTE

HISTORIA 11

David se Arrepiente

POR un tiempo, David trató de vivir como si no hubiera hecho nada malo. Después de todo, se decía, ¿acaso no ha muerto Urías en una batalla?, ¿acaso no está bien que alguien se case con la pobre viuda? Además, nadie sabía la verdad. Es cierto que Joab podía sospechar, pero ni él tenía pruebas.

Sin embargo, la conciencia de David no lo dejaba tranquilo ni de día ni de noche.

Entonces, cierto día, el profeta Natán vino a verlo y le contó una historia.

"Había en una ciudad dos hombres —le dijo—, el uno rico y el otro pobre. El rico tenía muchas ovejas y muchas cabras, y el pobre no tenía más que una sola oveja, que él había comprado y criado, con él y con sus hijos había crecido juntamente...

"Llegó un viajero a casa del rico; y éste, no queriendo tocar a sus ovejas ni a sus bueyes, para dar de comer al viajero ..., tomó la ovejuela del pobre y se la aderezó al huésped".

A medida que David escuchaba la historia, se iba enojando cada vez más. La injusticia del hombre rico le parecía insoportable. "¡Vive Jehová —explotó por fin— que el que tal hizo es digno de muerte y que ha de pagar la oveja con siete tantos encima por haber hecho tal cosa, obrando sin piedad!"

Entonces el profeta, señalando con el dedo al rey, exclamó: "¡Tú eres ese hombre!"

David palideció.

¡Su pecado era conocido!

"He aquí lo que dice Jehová, Dios de Israel —prosiguió Natán—: Yo te ungí rey de Israel y te libré de las manos de Saúl. Yo te he dado... la casa de Israel y de Judá; y por si esto fuera poco, te añadiría todavía otras cosas mucho mayores. ¿Cómo, pues, menospreciando a Jehová, has hecho lo que es malo a sus ojos? Has herido a espada a Urías, heteo, tomaste por mujer a su mujer, y a él le mataste con la espada de los hijos de Amón".

¡De modo que Dios lo sabía todo! ¡Hasta en sus más horribles detalles! ¿Cuál sería el castigo?

"Así dice Jehová —continuó diciendo Natán—: Yo haré surgir el mal contra ti en tu misma casa, y tomaré ante tus mismos ojos tus mujeres y se las daré a otro... ; porque tú has obrado ocultamente, yo haré esto a la presencia de todo Israel y a la cara del sol".

David se sentía aplastado. Consciente de la enormidad de su culpa, exclamó: "He pecado contra Jehová".

De repente comprendió cuán terriblemente malvado había sido y cuán grande había sido su pecado. Cayendo sobre sus rodillas, clamó con lágrimas: "Tenme piedad, ¡oh Dios!, conforme a tu clemencia; según la multitud de tus ternuras borra

mis transgresiones. Lávame cabalmente de mi culpa y de mi pecado purifícame. Pues mis crímenes reconozco y mi pecado está siempre ante mí. Contra ti no más que pecar hice, y lo malo a tus ojos cometí...

"Rocíame con hisopo y seré limpio, lávame y quedaré más blanco que la nieve... De mis pecados tu semblante oculta y mis iniquidades todas borra. Crea en mí ¡oh Dios! un limpio corazón, y un espíritu firme en mi interior renueva. No me eches de tu presencia ni retires de mí tu Santo Espíritu. De tu salvación tórname la alegría y sosténme con generoso espíritu...

"De Dios los sacrificios son espíritu contrito; un corazón contrito y humillado, oh Dios, no lo desprecias".

El Señor oyó la oración de David y, aunque su pecado era grande, lo perdonó. Allí mismo, por medio del profeta Natán, le hizo llegar un mensaje consolador: "Jehová te ha perdonado tu pecado —le dijo—. No morirás".

¡Cuán bondadoso y paciente es el Señor con los que se arrepienten de sus pecados! Aunque hayamos cometido una gran falta, si estamos realmente tristes por ello, y se lo decimos,

Dios nos quitará la culpa y nos perdonará. Porque —¡oh maravilla de las maravillas!— "si confesamos nuestros pecados, fiel y justo es él para perdonarnos y limpiarnos de toda iniquidad" (1 Juan 1:9).

Aunque Dios perdonó a David por el mal que había hecho, no pudo impedir que las consecuencias afectaran a David, a su familia y a su reino.

Ese pecado fue un momento decisivo en su vida.

Hasta entonces parecía haber ido creciendo y fortaleciéndose cada vez más. Desde ese momento, se fue haciendo cada vez más débil.

Las cosas ya no fueron como antes.

Perdió el respeto de muchos de sus súbditos, y hasta el de sus propios hijos.

Ya no se atrevía a reprenderlos, por temor a que le recordaran su propia falta.

Y eso es precisamente lo que hace el pecado. Debilita. Divide. Arruina todo lo que toca. Quita la alegría y la belleza de la vida.

¡Cuán cierto es el refrán que dice que el ave que se ha quebrado un ala nunca vuelve a volar tan alto como antes!

2da PARTE

HISTORIA 12

Un Muchacho Muy Malo

ENTRE los muchos hijos de David había uno que se destacaba sobre todos los demás. Era un muchacho bien parecido y simpático llamado Absalón. La Biblia dice de él que "no había en todo Israel hombre tan hermoso como Absalón; desde la planta de los pies hasta la cabeza, no había en él defecto".

Pero su belleza era sólo exterior. En su corazón, que nadie podía ver, se alojaban el orgullo, la envidia, el odio y muchas otras cualidades semejantes.

Cierta vez, en la época de la esquila de las ovejas, invitó a todos sus hermanos a un banquete. Todos fueron, pero no todos regresaron. Cuando esa noche los muchachos volvieron a Jerusalén, faltaban dos. Amnón había sido muerto por su hermano Absalón, y éste había debido huir temiendo el castigo de su padre.

Absalón permaneció lejos, en tierra extraña, por tres largos años. Y sólo gracias a la bondad de Joab, que intercedió ante David por él, pudo regresar.

Uno esperaría que después de volver a su casa, Absalón hubiera demostrado alguna gratitud hacia Joab; pero, no. Al contrario, debido a que Joab no fue a ver a este joven impaciente cuando éste se lo pedía, despechado, hizo que sus siervos prendieran fuego a uno de los campos de cebada que poseía Joab.

Pasaron cinco años desde el asesinato de Amnón hasta que Absalón pudo ver de nuevo a su padre. Aquel debe haber sido un encuentro emocionante. Y David, siempre de corazón blando, le perdonó su terrible acción y lo besó.

¿Se mostró agradecido Absalón porque le había perdonado la vida? Pues, no. Al contrario, comenzó a tramar una revuelta que le permitiera atraerse el favor del pueblo, eliminar a su padre y ocupar el trono.

Su primer paso fue conseguirse "un carro y caballos, y cincuenta hombres que iban delante de él", para que la gente notara cuán importante era. Luego comenzó a ir cada día bien temprano a la puerta principal de la ciudad, para conversar amablemente con todas las personas importantes que entraban y salían. Les preguntaba de dónde venían y qué pensaban hacer en Jerusalén. Si alguien le decía que había venido para presentar un problema al rey, Absalón le respondía: "Mira, tu causa es buena y justa, pero no tendrás quien por el rey te oiga. ¡Quién me pusiera a mí por juez de la tierra para que viniesen a mí cuantos tienen algún pleito o algún negocio, y yo les haría justicia!"

De esa manera difundía la idea de que él podía ser un mejor rey que su padre.

"Y cuando alguno quería postrarse ante él, él le tendía la mano" para no dejarlo arrodillarse, y lo besaba. De ese modo

trataba de dar la impresión de que era un dirigente bondadoso y comprensivo.

"Así robaba el corazón de los de Israel".

Cuando se convenció de que ya tenía suficiente apoyo como para apoderarse del reino, envió mensajeros secretos por todo Israel que decían: "Cuando oigáis sonar la trompeta, gritad: Absalón reina en Hebrón".

Así, subrepticiamente, este mal hijo fue llevando adelante los planes para destronar a su propio padre. "La conjuración iba creciendo, y llegó a ser grande, pues iban aumentando los secuaces de Absalón".

No sabemos exactamente cuántos fueron a Hebrón cuando Absalón se coronó a sí mismo rey; pero debe haber sido un gran número porque cuando llegó el mensajero con la noticia de la rebelión, David dijo a todos sus amigos que estaban en Jerusalén: "Levantaos y huyamos, porque no podríamos escapar delante de Absalón. Daos prisa, no sea que nos sorprenda él... y pase a la ciudad a filo de espada".

David no quería por nada del mundo que su amada Jerusalén se convirtiera en un campo de batalla. Por eso, con corazón muy apesadumbrado, decidió salir de ella. ¡Qué día tan triste fue aquél! La Biblia dice que "todos iban llorando en alta voz". David avanzaba por "la pendiente del monte de los Olivos, y subía llorando, cubierta la cabeza y descalzos los pies. También cuantos le seguían cubriéronse todos la cabeza, y subían llorando".

Así David, que había pasado muchos años de su vida huyendo de su suegro, debió escapar con temor y tristeza de uno de sus propios hijos.

2da PARTE

HISTORIA 13

Escondidos en un Pozo

EN ESE momento de gran tristeza David pudo reconocer quiénes eran sus verdaderos amigos.

Mientras las multitudes salían apresuradamente por las puertas de Jerusalén, el rey advirtió que entre ellos venían los dos sumos sacerdotes —Abiatar y Sadoc— llevando el arca de Dios. Junto con ellos iban también sus hijos Jonatán y Ahimaas.

David se adelantó, y les habló diciéndoles: "Volved el arca de Dios a la ciudad... Si hallo gracia a los ojos de Jehová, él me volverá a traer". Y luego se encaminó hacia el desierto.

No mucho después Absalón entró en Jerusalén con su ejército y ocupó el lugar de su padre en el palacio. Llamando a los hombres más sabios de la corte les preguntó qué debía hacer entonces. Uno de ellos, Ahitofel, le aconsejó que de inmediato enviara hombres en persecución de David para matarlo. Pero Husai, un viejo amigo de David, trató de que las cosas se demoraran. Ansioso de concederle al rey tiempo para escapar, aconsejó a Absalón que esperara hasta reunir a todos los hombres de guerra de Israel para perseguir entonces a David.

Absalón y los demás consejeros consideraron que el plan de Husai era el mejor. Cuando la reunión hubo terminado, Husai fue hasta donde estaban los sumos sacerdotes Abiatar y Sadoc y les dijo que hicieran saber al rey David que debía cruzar el río Jordán sin demora alguna.

Para evitar las sospechas, los sacerdotes le pidieron a una criada que llevara el mensaje a sus dos hijos, Jonatán y Ahimaas, que se hallaban en una aldea, a las afueras de Jerusalén. La muchacha así lo hizo. "Violos, sin embargo, un mozo, que dio cuenta de ello a Absalón".

Jonatán y Ahimaas deben haber visto al muchacho que los escuchaba y supusieron que pronto se verían en dificultades. Por eso se apresuraron a partir y comenzaron a buscar un lugar donde esconderse. Mientras corrían para salvar la vida, recordaron que en el patio de la casa de uno de sus amigos había un pozo. Se dirigieron rápidamente hacia ese lugar y se metieron en su interior. La señora de la casa tomó una manta y cubrió con ella la boca del pozo poniendo sobre ella grano trillado.

Estos arreglos fueron hechos justo a tiempo, porque pronto los muchachos oyeron las voces de los hombres de Absalón que conversaban en el patio. Pero la mujer no los traicionó. Y cuando los soldados se hubieron ido, Ahimaas y Jonatán salieron del pozo y se apresuraron para llegar a donde estaba David.

Todavía era oscuro cuando los muchachos llegaron; pero David actuó de inmediato. Ordenó que todo el mundo cruzara el río "y al alba no quedaba uno que no hubiera pasado el Jordán". Así lograron escapar David y sus amigos.

2da PARTE

HISTORIA 14

Enredado en un Arbol

DESPUES de pasar el Jordán David se encontró con muchos otros amigos que lamentaban lo que le había ocurrido y deseaban ayudarlo.

Un grupo de ellos trajo "camas, alfombras, calderas y vasijas de barro, trigo, cebada y harina, grano tostado, habas, lentejas y legumbres tostadas, miel, manteca, ovejas y quesos de vaca, y ofrecieron todo esto a David y a los que con él estaban para que comiesen, pues se dijeron: Seguramente están hambrientos, fatigados y sedientos en el desierto".

Reanimados, David y sus acompañantes se dirigieron hacia la ciudad de Mahanaim. Mientras estaban allí, siguieron llegando hombres de guerra para unirse al ejército del rey. Muy pronto David tuvo consigo varios miles de los mejores soldados de Israel y se encontró listo para hacer frente a Absalón en caso de que éste viniera a atacarlo.

Por fin llegó el día de la batalla. Y esa mañana, mientras las tropas salían por la puerta de la ciudad, David les dirigió un extraño pedido: "Preservad por amor mío la vida del joven

Absalón". A pesar de todo el mal que le había hecho, seguía amándolo.

David quiso dirigir la batalla en persona, como antaño; pero no se lo permitieron. "Tú eres para nosotros como diez mil —le dijeron—, y es mejor que puedas salir de la ciudad a socorrernos". Así lo hizo el rey y se quedó sentado a la puerta de la ciudad aguardando impacientemente noticias del encuentro.

El ejército de Absalón no pudo hacer nada frente a las aguerridas tropas de David. Pronto los soldados rebeldes fueron dispersados o muertos.

Absalón, que se puso en fuga cabalgando una mula, fue víctima de un curioso accidente. Mientras pasaba a toda velocidad bajo una gran encina en el bosque de Efraín, su cabeza se enganchó entre las ramas de un árbol. La mula no se detuvo y Absalón, con la cabeza atrapada en una horqueta, quedó pendiendo en el aire.

Uno de los soldados del ejército de David vio a Absalón colgado de un árbol y corrió a llevar la noticia a Joab. Pocas cosas podrían haberlo hecho a éste más feliz. Joab tenía muchas cuentas que arreglar con Absalón. Desechando el pedido de David de perdonarle la vida, le clavó tres dardos en el corazón. Luego hizo arrojar el cuerpo de Absalón en un gran hoyo del bosque y lo hizo cubrir con piedras.

Entretanto, David seguía esperando noticias a la puerta de la ciudad. Al rato, el centinela que se hallaba en la muralla gritó: "Veo venir a un hombre que corre solo".

"Si viene solo —se dijo el rey—, es que trae buenas noticias". Pero pronto, para sorpresa de David, el centinela volvió a gritar: "Veo venir otro que corre solo".

"Este también trae buenas noticias", respondió el rey, que apenas podía aguardar la llegada de los mensajeros.

Cuando el primero de los mensajeros estuvo más cerca, el centinela dijo: "Por el modo de correr, el primero me parece Ahimaas, hijo de Sadoc", ¡uno de los muchachos que se habían escondido en el pozo!

"Es hombre de bien —comentó el rey—; seguramente trae buenas noticias". Cuando por fin llegó, Ahimaas exclamó, jadeante: "¡Victoria!", y luego cayó, exhausto.

—Y el joven Absalón —le preguntó—, ¿está bien?

—Yo vi un gran tumulto cuando Joab envió al rey tu siervo, pero no pude saber lo que pasaba —respondió el joven, temiendo decirle la verdad al rey.

—Pasa y ponte allí —le dijo David al ver que llegaba el segundo mensajero.

—Recibe, ¡oh rey, mi señor!, la nueva de que Jehová ha defendido hoy tu causa contra todos los que se alzaron contra ti —exclamó el recién llegado.

—Y el joven Absalón, ¿está bien? —volvió a preguntar David.

—Tengan tan mala ventura como el joven los enemigos del rey y cuantos se han rebelado contra ti —fue la respuesta.

David comprendió de inmediato lo que había ocurrido y su corazón se quebrantó. Había ansiado la victoria para sus tropas, por supuesto; pero el precio del triunfo le parecía demasiado alto. Rompiendo a llorar, subió hasta la pieza que se hallaba sobre la puerta de la ciudad y clamó: "¡Absalón, hijo mío! ¡Hijo mío!... ¡Quién me diera que fuera yo el muerto en vez de ti! ¡Absalón, hijo mío, hijo mío!"

2da PARTE

HISTORIA 15

Un Angel Sobre Jerusalén

DAVID permaneció todavía un tiempo en Mahanaim, hasta que se aplacaron los sentimientos provocados por el levantamiento y la muerte de Absalón. Luego él y los suyos cruzaron otra vez el Jordán y emprendieron el empinado camino hacia Jerusalén. Al acercarse a la capital, Mefiboset, el hijo lisiado de Jonatán, vino a saludar a David. Se lo veía muy desarreglado porque "no se había hecho el aseo de sus pies, de sus manos y de su bigote, ni había lavado sus vestidos desde el día en que el rey salió de Jerusalén hasta el día en que volvió en paz". Acercándose, le explicó a David que no había podido irse con él al destierro debido a su cojera.

Por fin la larga columna llegó a "la fortaleza de Sion". Tan feliz se sentía David de volver a su ciudad, que compuso este hermoso salmo:

"Jehová es mi roca, mi fortaleza, mi refugio, mi Dios, la roca en que me amparo, mi escudo, el cuerno de mi salvación, mi inaccesible asilo, mi salvador de la violencia... Tú haces lucir mi lámpara ¡oh Jehová!; mi Dios, ilumina mis tinieblas...

ndo se vio libre de Saúl y de todos sus nigos, David entonó un cántico que decía: ová es mi roca, mi fortaleza, mi refu- Mi Dios, la roca en que me amparo..."

"¿Qué Dios hay fuera de Jehová? ¿Qué roca hay fuera de nuestro Dios? El Dios fuerte, que me ciñó de fortaleza y prosperó mis caminos".

Cuando otra vez ocupó el trono, David trató de asegurarse en él. Olvidándose de que Dios era su fortaleza, decidió imitar a las naciones paganas reclutando un poderoso ejército. Con esta idea en mente, le dijo a Joab: "Recorre todas las tribus de Israel... y haz el censo del pueblo para saber su número".

Pero incluso Joab, que era un soldado endurecido, creyó que David estaba cometiendo un error. "¡Ojalá hiciera Jehová a su pueblo cien veces más numeroso —le dijo—. Pero, rey y señor mío, ¿no son todos servidores tuyos? ¿Para qué pide esto mi señor? ¿Para qué hace una cosa que será imputada como pecado a Israel?"

David, sin embargo, insistió en que se hiciera el censo. Joab obedeció entonces y algún tiempo más tarde trajo los datos. En todo Israel y Judá, le dijo, había 1.570.000 "hombres de guerra".

Apenas se había retirado Joab, cuando David se dio cuenta de lo que había hecho. Dirigiéndose entonces a Dios, exclamó: "He cometido con esto un gran pecado. Perdona, te ruego, la iniquidad de tu siervo, pues he obrado como un insensato".

Pronto un profeta llamado Gad vino a ver a David y le dijo que debía pagar las consecuencias de su pecado, pero que podía elegir el castigo: o tres *años* de hambre, o tres *meses* de invasión de un pueblo enemigo, o tres *días* de peste durante los cuales "el ángel de Jehová" llevaría "la destrucción a todo el territorio de Israel".

Aunque la decisión no era fácil, David dijo finalmente:

"Caiga yo en las manos de Jehová, cuya misericordia es inmensa, y no caiga en las manos de los hombres".

Vino entonces una gran peste sobre Israel y muchas personas murieron, entre ellas 70.000 del número de los hombres de guerra que Joab había contado.

Fue en ese tiempo cuando David tuvo la terrible visión del ángel del Señor que se encontraba "entre la tierra y el cielo" junto a la era de Ornán, "teniendo en su mano, desnuda, la espada", extendida contra Jerusalén.

"Entonces David y los ancianos, vestidos de saco, cayeron sobre sus rostros".

David rogó a Dios que perdonara la vida al pueblo de Jerusalén y reconoció toda su culpa: "¿No soy yo el que he mandado a hacer el censo del pueblo? Yo soy quien ha pecado y ha hecho el mal; pero estas ovejas, ¿qué han hecho? ¡Jehová, Dios mío! Pese tu mano sobre mí y sobre la casa de mi padre y no haya plaga en tu pueblo".

Pronto recibió el rey un mensaje de Dios por medio del profeta Gad. Debía dirigirse a la era de Ornán para construir un altar.

Ornán había estado trillando trigo con sus cuatro hijos, y al ver el ángel se habían escondido. Cuando llegó el rey, con rostro preocupado, éstos salieron a recibirlo, temblando todavía de temor.

David le pidió que le vendiera la era para poder construir en ella un altar. Pero Ornán le respondió generosamente:

"Tómala y que mi señor el rey haga en ella lo que bien le parezca; mira, te doy los bueyes para el holocausto, los trillos para leña, y el trigo para la ofrenda. Todo te lo doy".

"No —respondió David—; quiero comprártela por su valor en plata, pues no voy a presentarle yo a Jehová lo que es tuyo ni a ofrecer un holocausto que no me cuesta nada". David le pagó entonces a Ornán seiscientos siclos de oro por todo lo que había en la zona. Luego construyó un altar y ofreció un sacrificio sobre él.

Repentinamente, descendió un resplandor de humo y fuego del cielo, que consumió el sacrificio.

David tuvo así la seguridad de que Dios había perdonado su falta.

En seguida terminó la peste y el ángel con la espada desapareció de la vista.

TERCERA PARTE

Historias de Salomón

(1° de Reyes 1:1 a 11:43)

Harry Anderson

3ra PARTE

HISTORIA 1

El Banquete Interrumpido

EL TIEMPO había ido pasando y David era ahora un hombre bastante anciano, de casi setenta años de edad. Y aunque su mente se conservaba bien despierta, el rey comenzaba a sentir los efectos de su vida larga y ajetreada.

Ya no podía conducir a sus hombres a la batalla como lo había hecho antaño, ni emprender largas marchas por las montañas como había solido hacer con facilidad. Cada vez fue quedándose más confinado a su palacio. Luego debió permanecer en cama la mayor parte del tiempo. Pero aún no se daba por vencido.

Había una cosa que quería hacer. Sinceramente arrepentido de todos sus pecados, ansiaba rendir a Dios un último servicio. Planeaba construir un hermoso templo para adorarlo, un lugar donde el arca pudiera estar segura. El sabía muy bien que no estaría en condiciones de terminar un templo tal en lo que le quedaba de vida, pero a lo menos lo comenzaría.

Por eso "encargó a los canteros que fuesen preparando piedras talladas para la construcción de la casa de Dios. Preparó

pués de haberse mantenido fiel a Dios ravés de muchas dificultades, David fue onado rey de Israel. De su descendencia ería el Mesías, el Salvador del mundo.

también hierro en abundancia para la clavazón de las puertas y para las grapas, y bronce en cantidad imponderable, y madera de cedro innumerable".

Semana tras semana y mes tras mes los materiales siguieron llegando. Y a medida que le informaban de cómo iban creciendo las pilas de piedras, madera, bronce y hierro, el corazón del anciano rey debe haberse llenado de gozo. ¡Cómo hubiera querido poder vivir algunos años más para poder construir el templo!

Sin embargo, no podría hacerlo porque le quedaba poco tiempo de vida. Su hijo Salomón debería continuar la obra. Pero David se decía: "Mi hijo Salomón es todavía joven e inexperto, y la casa que ha de edificarse a Jehová ha de ser, por la grandeza, por la magnificencia, por la belleza, reputada en todas las tierras; por eso quiero hacer preparativos". Y los hizo, antes de su muerte, en abundancia.

Aunque parezca extraño, no todos estaban enterados de su plan de nombrar a Salomón como heredero. Entre sus muchos hijos se hablaba y discutía acerca de quién llevaría la corona cuando su padre muriera. Uno de ellos, llamado Adonías, decidió que el trono le correspondía. "Yo reinaré", se dijo y, así como Absalón había hecho años antes, se consiguió "carros y caballos y cincuenta hombres que corrieran delante de él".

Puesto que era un hombre joven y apuesto, impresionó muy favorablemente a algunas personas. Hasta Joab, el general en jefe del ejército, y Abiatar, el anciano sumo sacerdote, se convencieron de que él sería el sucesor de David.

Animado por ello, Adonías preparó un gran banquete al que invitó a sus hermanos y a muchos de los servidores del rey para que estuvieran presentes cuando se proclamara rey.

David, por supuesto, no sabía nada de esto, pues estaba en cama, soñando con el templo que deseaba construir. Pero repentinamente la madre de Salomón irrumpió en su cuarto, muy agitada.

"¡Oh señor! —exclamó—. Tú has jurado a tu sierva por Jehová, diciendo: Salomón, tu hijo, reinará después de mí, el se sentará sobre mi trono; y he aquí que Adonías se ha hecho rey sin que tú, mi señor, el rey, sepas nada. Ha inmolado bueyes, becerros cebados y ovejas en gran número, y ha invitado a todos los hijos del rey, a Abiatar, sacerdote; a Joab, jefe del ejército; pero no ha invitado a Salomón, tu siervo. En tanto, los ojos de todo Israel están puestos en ti, ¡oh rey!, mi señor, esperando que tú declares quién es el que se ha de sentar sobre el trono del rey, mi señor, después de él".

El cansado y enfermo rey se revolvió en la cama. El antiguo brillo volvió a sus ojos. ¡Nadie iba a hacerle eso! Pero antes de que pudiera hablar, otro personaje entró en el cuarto; era Natán, el profeta, quien confirmó el relato de Betsabé y luego preguntó: "¡Oh rey, mi señor! ¿Has dicho tú: Adonías reinará después de mí y se sentará sobre mi trono?"

Rápidamente el anciano rey hizo su decisión. "Que venga Betsabé", ordenó, y ella volvió a entrar.

"Vive Jehová —le dijo—, que libró mi alma de toda angustia, que así como he jurado por Jehová, Dios de Israel, diciendo: Salomón, tu hijo, reinará después de mí y se sentará en mi trono en lugar mío, ahora mismo lo haré".

En seguida ordenó que vinieran Sadoc el sacerdote, Natán el profeta, y Benaía el militar. Cuando llegaron les dijo que montaran a Salomón sobre la mula real, lo ungieran rey de Israel y lo hicieran desfilar por Jerusalén proclamando: "¡Viva el rey Salomón!"

Estos hombres principales cumplieron la orden, y cuando el pueblo vio al joven príncipe montado en la mula de David sospechó lo que había ocurrido y todos comenzaron a gritar de alegría. La Biblia dice que iban "haciendo gran fiesta y parecía retemblar la tierra con sus exclamaciones" mientras repetían "¡Viva Salomón, rey!"

Entretanto, Adonías y sus amigos se encontraban en los postres del banquete. Mientras él y sus invitados conversaban

animadamente acerca de los planes inmediatos, oyeron una conmoción en Jerusalén. ¿Qué podría ser?, se preguntaban. Joab, el veterano guerrero, era el más preocupado de todos. "¿Por qué con tanto estrépito se alborota la ciudad?", preguntó ansiosamente.

Pronto lo supo, porque al momento Jonatán, hijo de Abiatar el sumo sacerdote, llegó corriendo con la gran noticia de que David había abdicado en favor de Salomón.

"Sadoc, sacerdote, y Natán, profeta, le han ungido rey en Sion —explicó agitadamente—, y de allí han subido con grandes muestras de júbilo, y toda la ciudad está en conmoción; ése es el alboroto que habéis oído. Además, Salomón se ha sentado en el trono real".

En un instante todos se olvidaron del banquete. Corriendo hacia las puertas, los invitados sólo pensaban en huir para salvar la vida antes de que los amigos de Salomón los encontraran.

HISTORIA 2

Una Gloriosa Despedida

CUANDO David se dio cuenta de que su fin estaba muy próximo, sintió un gran deseo de hablar una vez más a los dirigentes del pueblo. Por eso envió mensajeros a todas partes del país para convocar a Jerusalén "a todos los jefes de Israel. . . , a los jefes de las divisiones. . . , a los jefes de millares y de centenas, a los intendentes de la hacienda y de los ganados del rey, a los hijos del rey. . . , a los oficiales del palacio, a todos los hombres de valer".

Muchos de ellos eran sus viejos amigos. Algunos eran los "héroes" y los "valientes" que habían permanecido a su lado a través de los días difíciles en que huía del rey Saúl. Ellos también habían ido envejeciendo, y ahora se acercaba el momento de separarse. Ansiosamente, todos ellos se apresuraron a encaminarse a Jerusalén, preguntándose qué los aguardaba en la ciudad.

Sabían que David había estado confinado a su lecho durante algún tiempo y que había ido debilitándose cada vez más. ¿Sería esa la última vez que tendrían ocasión de verlo?, se pre-

guntaban unos a otros mientras iban entrando en el palacio.

Con rostro que revelaba ansiedad y preocupación, fueron entrando uno a uno en el gran salón de reuniones. Por fin, los ayudantes trajeron a David, tal vez en una cama o reclinatorio. ¡Cuán felices se sentían de volver a verlo! ¡Y qué triste, sin embargo, era ver tan anciano y débil al que una vez había sido un poderoso caudillo!

Pero David parecía poseer inagotables reservas de energía para afrontar cualquier emergencia. Vez tras vez, durante su larga vida llena de peligros, había sorprendido a amigos y enemigos al dar muestras de gran vigor frente a una aparente derrota. Y ahora, nuevamente sorprendió a todos poniéndose en pie y comenzando a hablar con mucho del poder y la autoridad de otros tiempos.

"Oídme hermanos míos y pueblo mío —comenzó diciendo el venerable anciano—: Yo tenía el propósito de edificar una casa de reposo para el arca de la alianza de Jehová, para el escabel de los pies de nuestro Dios, y había ya hecho aprestos para ello; pero me dijo Dios: Tú no edificarás casa a mi nombre, porque eres hombre de guerra y has derramado mucha sangre. . .

"De todos mis hijos, pues me ha dado Jehová muchos hijos, eligió a mi hijo Salomón para sentarse en el trono de Jehová sobre Israel; y me ha dicho: Salomón, tu hijo, edificará mi casa y mis atrios, porque yo le he elegido por hijo y yo seré padre para él. Yo afirmaré su reino para siempre si él se esfuerza en poner por obra mis mandamientos y mis juicios como hoy.

"Ahora, pues, ante todo Israel, la congregación de Jehová, y ante nuestro Dios, que nos oye, guardad y observad todos los mandamientos de Jehová, vuestro Dios, para que poseáis la buena tierra y la dejéis en heredad a vuestros hijos después de vosotros a perpetuidad".

Luego, dirigiéndose a su hijo Salomón, que sin duda se hallaba cerca, le dijo ante la presencia de todos: "Y tú, Salomón, hijo mío, conoce al Dios de tu padre y sírvele con corazón perfecto y ánimo generoso; porque Jehová escudriña los corazones de todos y penetra todos los designios y todos los pensamientos. Si tú le buscas, le hallarás; mas si le dejas, te rechazará para siempre. Mira que Jehová te ha elegido para edificar casa que sea su santuario; esfuérzate y hazlo".

Después de esto, David entregó a su hijo los planos que había preparado en detalle para edificar el grande y hermoso templo con que había soñado. En ellos se encontraban las indicaciones para la construcción "del pórtico y sus dependencias y oficinas, de las salas, de las cámaras y de la casa del propiciatorio", y de todos los utensilios necesarios para llevar a cabo los servicios religiosos.

"Todo esto —añadió el rey—, me ha sido mostrado por la mano de Jehová, que me dio a entender el diseño de todas las obras".

¡Cómo se habrán sorprendido los presentes al oír esto! Pocos se habían imaginado que ya estaban listos todos los planos para el templo y que Dios se los había dictado personalmente al rey. Aquello era idéntico a lo que había ocurrido siglos antes en el monte Sinaí, donde Dios le había mostrado a Moisés el plano del tabernáculo.

Dirigiéndose una vez más a los presentes, David explicó que ya había hecho otros preparativos para la construcción, pues había ido acumulando oro, plata, bronce, hierro, madera y piedras preciosas.

Luego reveló cuál era su contribución personal —la última que podría hacer para Dios—: "tres mil talentos de oro... y siete mil talentos de plata fina".

Esto conmovió profundamente a todos. ¡Qué magnífica contribución había hecho el querido rey, aunque era anciano y estaba débil! A algunos les habrá resultado difícil retener una lágrima.

Al momento, comenzó a ocurrir algo emocionante. Uno tras otro, los dirigentes de Israel se adelantaron para traer sus ricas ofrendas de oro, plata, bronce, hierro y piedras preciosas.

¡Nunca, desde los días en que el pueblo había traído sus tesoros a Moisés para construir el tabernáculo en el desierto, había ocurrido algo semejante!

Parecía que todo el mundo estaba ansioso por colaborar para hacer posible el sueño del anciano rey. Con regocijo, todos trajeron lo mejor que tenían, gozándose al ver la expresión de gratitud y felicidad que se dibujaba en el rostro de David.

El relato bíblico dice: "Gozóse el pueblo de haber contribuido voluntariamente con sus ofrendas, porque con entero corazón se las hacían a Jehová, y el rey David tuvo de ello gran alegría".

Cuando la última de las personas hubo traído sus ofrendas, el rey bendijo al Señor. Con palabras que se encuentran entre las más hermosas que registra la Biblia, dijo:

"Bendito tú, ¡oh Jehová!, Dios de Israel, nuestro padre de siglo en siglo. Tuya es, ¡oh Jehová!, la majestad, el poder, la gloria y la victoria; tuyo el honor y tuyo cuanto hay en los cielos y en la tierra. Tuyo, ¡oh Jehová!, es el reino; tú te alzas soberanamente sobre todo... Por eso, Dios nuestro, nosotros te confesamos y alabamos tu glorioso nombre...

"¡Oh Jehová, Dios nuestro!, toda esta abundancia que para edificar la casa a tu santo nombre te hemos ofrecido, tuya es, de tu mano la hemos recibido. Yo sé, Dios mío, que tú escudriñas el corazón y que amas la rectitud; por eso te he hecho yo todas mis ofrendas voluntarias en la rectitud de mi corazón...

"Jehová, Dios de Abrahán, de Isaac y de Israel, nuestros padres —siguió diciendo—, conserva para siempre en el corazón de tu pueblo esta voluntad y estos pensamientos y encamina a ti su corazón".

Luego, con ternura, oró por su propio hijo:

"Da asimismo a mi hijo Salomón corazón perfecto para que guarde todos tus mandamientos, tus leyes y tus mandatos, y que todos los ponga por obra, y te edifique la casa para la que yo he hecho aprestos".

"Bendecid ahora a Jehová, vuestro Dios", dijo dirigiéndose a los presentes, entre quienes se encontraban los hombres más importantes de Judá e Israel.

Entonces todos, junto con el anciano rey, inclinaron la cabeza y adoraron al Señor.

Tal fue el noble y glorioso final de la vida de un hombre que a pesar de sus muchos errores, había tratado de servir a Dios de todo corazón.

3ra PARTE

HISTORIA 3

Salomón Pide Sabiduría

AL DIA siguiente de la asamblea general en la que David había pronunciado su último discurso ante el pueblo, se celebró en Jerusalén una gran fiesta popular y durante ella Salomón fue coronado rey por segunda vez.

La mayoría de los dirigentes de Israel no habían estado presentes cuando David había hecho que Salomón fuera conducido por la ciudad montado en la mula real el día en que Adonías había tratado de apoderarse del trono. Por eso, puesto que ahora todos se encontraban en Jerusalén para despedirse del anciano rey, se consideró oportuno repetir la ceremonia. Así "dieron por segunda vez la investidura del reino a Salomón, hijo de David, y le ungieron rey ante Jehová... Sentóse Salomón por rey en el trono de Jehová, en lugar de David, su padre; y fue prosperado, obedeciéndole todo Israel.

"Todos los jefes y los valientes y todos los hijos del rey David prestaron homenaje al rey Salomón, a quien Jehová engrandeció en extremo a los ojos de todo Israel, dándole un reinado glorioso, cual ningún rey lo tuvo antes de él en Israel".

SALOMON PIDE SABIDURIA

El Señor concedió honores y bendiciones a este hombre joven debido a una razón muy importante: Salomón estaba ansioso por hacer lo correcto.

Poco después de su coronación, el nuevo rey convocó a los dirigentes de Israel para que se reunieran con él en Gabaón, donde todavía se hallaba el antiguo tabernáculo. Es cierto que el arca no se encontraba más en ese sitio, porque David la había trasladado a un lugar más seguro en Jerusalén; sin embargo, todavía estaba allí, junto a la ya desteñida tienda, el altar de bronce que había hecho Bezaleel. En ese lugar Salomón ofreció mil holocaustos para indicar su devoción a Dios.

El hecho de que el nuevo rey comenzara su reinado de ese modo causó una gran impresión sobre todos los presentes. Con rapidez, la historia de lo ocurrido se difundió por el país y despertó esperanzas de un gran reavivamiento religioso.

Cierta noche, mientras Salomón todavía estaba en Gabaón, el Señor se le apareció en sueños y le dijo: "Pídeme lo que quieras que te dé".

Salomón respondió: "Tú hiciste gran misericordia a David, mi padre, conforme marchaba él en tu presencia en la fidelidad, en la justicia y en la rectitud de corazón ante ti: le has guardado esta misericordia, dándole un hijo que se sentara sobre su trono como lo está hoy.

"Ahora, pues, ¡oh Jehová!, mi Dios, me has hecho reinar, a tu siervo, en el lugar de David, mi padre, no siendo yo más que un mocito, que no sabe por dónde ha de entrar y por dónde ha de salir, y que está tu siervo en medio del pueblo que tú te elegiste; un pueblo grande, que por su muchedumbre no

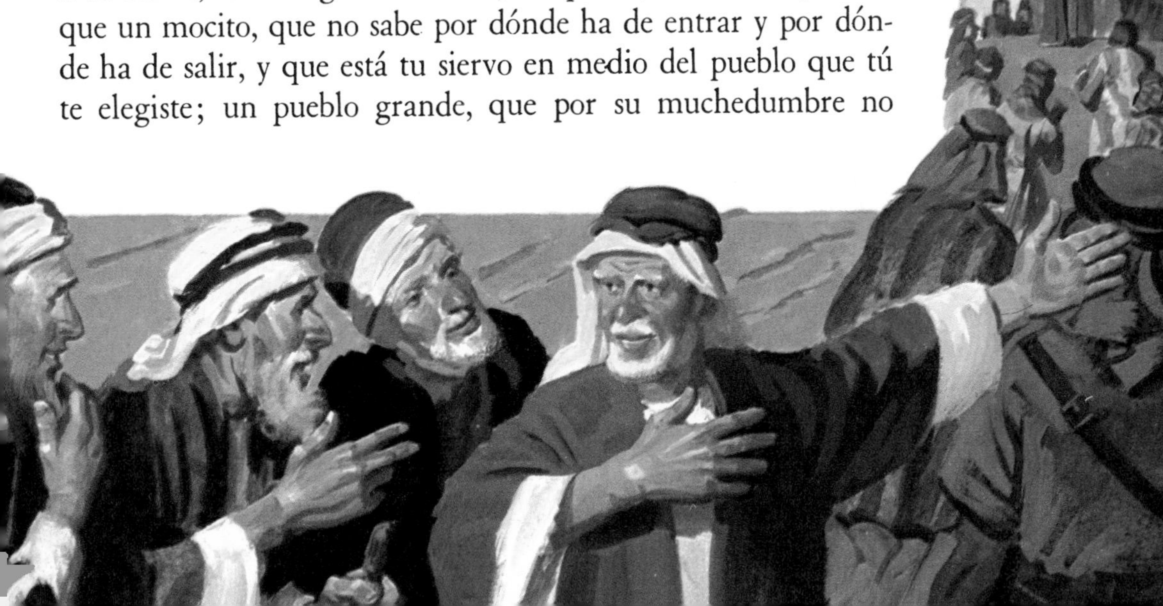

puede contarse ni numerarse; da a tu siervo un corazón prudente para juzgar a tu pueblo y poder discernir entre lo bueno y lo malo; porque ¿quién, si no, podrá gobernar a un pueblo tan grande?"

A Dios le agradó mucho el pedido de Salomón. Más de un joven hubiera pedido un hermoso carruaje nuevo, o una armadura recubierta de oro, o tal vez algunos ágiles caballos árabes. Pero

SALOMON PIDE SABIDURIA

Salomón pidió sabiduría para hacer bien su trabajo como rey del pueblo escogido.

Y Dios le dijo: "Por haberme pedido esto y no haber pedido para ti ni vida larga, ni muchas riquezas, ni la muerte de tus enemigos, sino haberme pedido entendimiento para hacer justicia, yo te concedo lo que me has pedido y te doy un corazón sabio e inteligente... Y aún te añado lo que no has pedido: riquezas y glorias tales, que no habrá en tus días rey alguno como tú; y si andas por mis caminos, guardando mis leyes y mis mandamientos, como lo hizo David, tu padre, prolongaré tus días".

"Y despertóse Salomón, y era un sueño", dice el relato de la Biblia.

¡Qué maravilloso sueño! ¡Y qué lección enseña a todo muchacho y niña de la actualidad!

Si Dios te dijera: "Pídeme lo que quieras que te dé", ¿qué le dirías?

¿Le pedirías un automóvil de último modelo?

¿Una casa lujosa?

¿Dinero a montones?

¿O le rogarías que te hiciera el alumno más brillante de tu clase?

¿O que ganaras el primer premio en las competencias de tu escuela?

¿O dirías, como Salomón: "Hazme sabio, Señor, para que siempre pueda escoger lo recto y así agradarte en todo"? Si le pides eso —sabiduría para hacer su voluntad— Dios se sentirá muy orgulloso de ti y contestará tu pedido así como lo hizo con el rey Salomón, dándote no sólo sabiduría sino también todo lo demás que necesitas.

ser coronado rey, Salomón sintió tan se- nente la responsabilidad de su cargo, que pidió a Dios riquezas, gloria ni larga a sino sabiduría para juzgar al pueblo.

3ra PARTE

HISTORIA 4

¡Partid al Niño!

UNO de los primeros problemas que le trajeron al nuevo rey era bien difícil. Se trataba de dos mujeres que pretendían ser la madre de un mismo niño, y habían venido para pedirle que diera su fallo. Pero ¿cómo saber cuál era la verdadera madre?

Sentado en su trono, Salomón escuchó atentamente el relato. Las dos mujeres vivían juntas en la misma casa. Sus dos bebés habían nacido aproximadamente al mismo tiempo, uno tres días antes que el otro. Pero poco después, uno de los dos pequeños había muerto.

—Escucha, mi señor —dijo la primera mujer—. . . El hijo de ésta murió una noche por haberse ella acostado sobre él; y ella levantándose en medio de la noche, me quitó de mi lado a mi hijo, mientras tu sierva dormía, púsolo a su lado, dejando al mío a su hijo muerto.

La mujer siguió diciendo que cuando se despertó a la mañana para alimentar a su pequeño, encontró a su lado a un bebé muerto que no era el suyo, sino el de su compañera.

—No —exclamó la otra mujer airadamente—, mi hijo es el que vive; es el tuyo el que ha muerto.

—No —gritó la primera mujer—, tu hijo es el muerto; y el mío, el vivo.

¡Qué espectáculo deben haber ofrecido estas dos mujeres en el palacio, gritándose mutuamente y dispuestas a tirarse de los cabellos, si las hubieran dejado!

¡Pobre Salomón! Nunca antes había visto un caso tal. ¡Ahora sí que necesitaba la sabiduría que Dios le había prometido!

—Traedme una espada —ordenó con calma; y cuando un criado se la trajo, un profundo silencio reinó en la sala.

—¿Qué querrá hacer con esa espada? —susurró alguien.

—Ahora, ¡traigan al niño! —ordenó el rey. Los presentes contuvieron la respiración. ¿Iría a cortar al niño por la mitad?—. Partid por el medio al niño vivo —siguió diciendo Sa-

lomón— y dad la mitad de él a la una y la otra mitad a la otra.

Un murmullo de terror recorrió la sala.

—¡No! ¡No, por favor! —gritó la verdadera madre—. ¡Oh, señor rey!, dale a ésa el niño, pero vivo; que no le maten.

—No —dijo la otra mujer inmisericordemente—. Ni para mí ni para ti: que le partan.

"¡Ajá! —se dijo Salomón—. Ahora sé a quién pertenece el niño".

Entonces, señalando a la mujer que había pedido que perdonaran la vida al pequeño, dijo: "Dad a la primera el niño vivo, sin matarle; ella es su madre".

Al salir las dos mujeres de la presencia del rey, la curiosa historia de lo ocurrido comenzó a divulgarse. Pasando de boca en boca, llegó a las ciudades y aldeas hasta que en todo el país la gente se enteró de cómo Salomón había indentificado a la verdadera madre del bebé.

"Todo Israel supo la sentencia que el rey había pronunciado, y todos temieron al rey, viendo que había en él una sabiduría divina para hacer justicia".

3ra PARTE

HISTORIA 5

Israel en su Mejor Epoca

DURANTE el reinado de Salomón, los hijos de Israel disfrutaron de sus días más felices. Nunca antes habían sido tan ricos. Jamás habían conocido tanta paz. "Judá e Israel eran numerosos como las arenas que hay en la orilla del mar —dice la Biblia—, y comían, bebían y se alegraban". ¡No hay duda de que todos lo pasaban muy bien!

"Salomón señoreaba sobre todos los reinos desde el río [Eufrates] hasta la tierra de los filisteos y hasta la frontera de Egipto; todos le pagaban tributo y le estuvieron sometidos todo el tiempo de su vida... Y tuvo paz por todos lados en derredor suyo. Judá e Israel habitaban seguros, cada uno debajo de su parra y de su higuera, desde Dan hasta Beerseba, durante toda la vida de Salomón".

Sin enemigos que temer ni batallas que afrontar, el rey Salomón pudo dedicarse casi enteramente a la tarea de construir el templo que su padre había planeado y para el cual había hecho preparativos tan cuidadosos.

Sin embargo, aunque David había hecho acopio de mucha

madera y de metales de varias clases, no resultaban suficientes. Al revisar los planos que su padre le había dejado, Salomón se dio cuenta de que necesitaría reunir materiales en mucha mayor cantidad antes de poder iniciar la construcción del soñado templo.

Por eso le pidió ayuda a Hiram, rey de Tiro y viejo amigo de David. Estaba especialmente interesado en conseguir de él más cedros y cipreses de los bosques del Líbano. Salomón prometió pagárselos bien y enviar hombres para ayudar a cortarlos, "pues —añadió cortésmente— bien sabes que no hay entre nosotros quien sepa labrar la madera como los sidonios".

El rey Hiram respondió también con amabilidad, diciendo: "Bendito Jehová, que ha dado a David un hijo sabio sobre ese gran pueblo". Luego añadió: "Haré lo que me pides en cuanto a la madera de cedros y cipreses. Mis siervos los bajarán del Líbano al mar y yo los haré llegar en balsas hasta el lugar en que tú me digas. Allí se desatarán, y tú los tomarás".

Así fue como comenzaron a cortarse árboles en grandes cantidades y a llevárselos flotando hasta Jope. Allí los hombres de Salomón comenzaban a arrastrarlos por el empinado camino que llevaba a Jerusalén. La tarea no era fácil y por eso requirió varios años para completarse.

"Hiram facilitó a Salomón cuanta madera de cedro y de ciprés quiso él; y Salomón daba a Hiram siete mil coros de trigo para el mantenimiento de su casa y veinte mil batos de aceite de olivas molidas. Esto es lo que cada año entregaba Salomón a Hiram".

A fin de ayudar a los súbditos de Hiram a cortar la ma-

dera, Salomón hizo una leva de treinta mil hombres de los cuales enviaba al Líbano alternativamente diez mil por mes. "Tenía, además... setenta mil hombres dedicados al transporte y ochenta mil cortadores en el monte".

Bajo las órdenes del rey, estos hombres trajeron "grandes piedras escogidas para los cimientos de la casa, y los carpinteros y los canteros de Salomón y los de Hiram cortaban... y labraban la madera y la cantería para la casa".

¡Qué excitación debe haber reinado entre el pueblo al ver como las pilas de madera y de piedras labradas iban creciendo más y más! Porque por ese entonces, la construcción del templo debe haber llegado a convertirse en el centro del interés de todo Israel. Con tantos miles que trabajaban en el proyecto y con muchos miles más ocupados en alimentarlos, ha de haber sido el tema de conversación de un extremo del país hasta el otro.

Nadie se sentía incómodo por tener que hacer el trabajo. Eso era mucho mejor que combatir a los filisteos, a los amalecitas, a los amonitas, y a los demás enemigos, como se habían visto obligados a hacer durante tantos años.

Sí, era indudable que había amanecido un nuevo y glorioso día para Israel.

¡Oh, cuán maravillosa era la paz!

Dios estaba bendiciendo abundantemente a su pueblo, así como lo había prometido a los patriarcas Abrahán, Isaac y Jacob.

¡Y qué privilegio era participar de algún modo en la construcción de un templo para la gloria de su nombre!

HISTORIA 6

Hiram, un Hábil Artífice

UNO de los pedidos especiales que Salomón hizo al rey Hiram, de Tiro, fue que enviara una persona capaz de trabajar los metales. "Envíame... un hombre hábil, que sepa trabajar el oro, la plata, el bronce, el hierro", le escribió a su amigo.

Lo que necesitaba era un artífice como Bezaleel, que había hecho tan buen trabajo en la construcción del tabernáculo del desierto y en la fabricación de sus muebles. Y el rey encontró a un hombre tal. También se llamaba Hiram: era su tocayo. Vivía en Tiro y su madre pertenecía por nacimiento a la tribu de Dan. Esto significaba que, por curiosa coincidencia, el artífice estaba emparentado a la distancia, por parte de su madre, con Aholiab, quien había sido el ayudante principal de Bezaleel hacía unos quinientos años.

Hiram, al igual que Bezaleel y Aholiab, estaba "lleno de sabiduría, de entendimiento y de conocimiento" y sabía "trabajar el oro, la plata, el bronce, el hierro, la piedra, la madera, la púrpura, el jacinto, el lino y la escarlata, y grabar toda suerte de figuras". ¡Un verdadero genio! Es más; al recomendarlo, el rey Hiram añadió que era "ingenioso en inventar cuanto se necesita para toda clase de obras". La descripción que del joven artífice hizo el rey no era exagerada cuando nos enteramos de todas las cosas que realizó Hiram.

Cuando llegó a Israel y echó una mirada a los planos del templo, se dio cuenta de que la tarea más difícil de todas sería la de fabricar las dos grandes columnas de bronce que se colocarían a ambos lados de la entrada. Cada una de ellas debía tener nueve metros de alto, con capiteles de 2,50 metros, y casi dos metros de diámetro. Pero, ¿dónde podría vaciar esas enormes columnas?, ¿y dónde podría encontrar suficiente arcilla como para preparar los moldes?

El problema hubiera desanimado a cualquiera, pero no a Hiram. Este buscó hasta que dio con la arcilla que necesitaba. Se hallaba en el valle del Jordán "entre Sucot y Zaretán".

Luego debe haberse preguntado: "¿Llevaré el metal hasta donde está la arcilla o traeré ésta hasta donde se encuentra aquél?" Cualquiera de las dos cosas representaba un inmenso trabajo.

Después de estudiar el problema, decidió vaciar las columnas en el valle. Hizo construir hornos cerca del lugar elegido, derritió el metal y luego lo vació en los moldes que había preparado en el suelo arcilloso. Finalmente, cuando todo estuvo listo, pudo presentar dos magníficas columnas de bronce resplandeciente.

Ahora tenía que llevarlas hasta Jerusalén, subiendo un camino montañoso. ¿Cómo lo hizo? Nadie lo sabe a ciencia cierta. Las columnas eran largas y pesadas; y el camino, em-

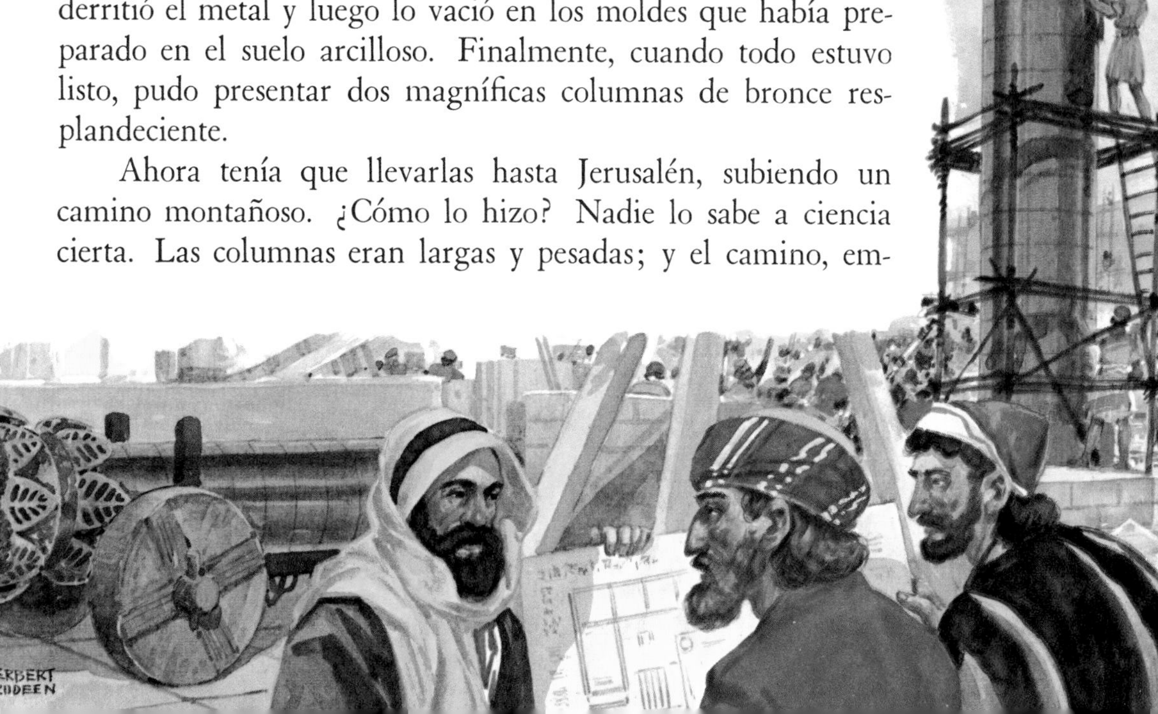

pinado y lleno de curvas cerradas. Sin embargo, nada lo detenía a Hiram. De alguna manera se las ingenió para llevar las columnas hasta Jerusalén y colocarlas frente al templo. Conocidas con el nombre de Jaquín (que significa "El establecerá") y Boaz (que quiere decir "En él hay fortaleza"), las columnas permanecieron en pie durante siglos para la gloria de Dios y como un recordativo de lo que puede hacer una persona cuando concentra todas sus energías en un trabajo.

Mientras los ayudantes de Hiram se encontraban todavía trabajando con las columnas, haciéndolas subir poco a poco por la ladera de la montaña, él se mantenía ocupado en muchas otras cosas, algunas de las cuales eran casi tan grandes e importantes como la fabricación de las columnas. Fabricó, por ejemplo, una enorme fuente de bronce o "mar de fundición", que medía cinco metros de diámetro y 2,50 m de profundidad. Esta fuente descansaba sobre doce toros, de los cuales "tres miraban al norte, tres al occidente, tres al mediodía y tres al oriente".

El fabricarla no fue tarea fácil, porque esa fuente gigantesca estaba hecha de metal, y su grueso "era de un palmo y su borde era como el de una copa o como el de un lirio abierto". Su capacidad, en las medidas actuales, era de unos 44.000 litros.

La Biblia contiene una lista de algunas otras cosas que también fabricó Hiram. "Cuatrocientas granadas" para los capiteles de las columnas, "diez basas", "diez fuentes de bronce" y "las calderas, las palas, los tenedores", todo de bronce.

Así, trabajando con miles de personas anónimas, Hiram contribuyó con su amoroso esfuerzo a que el templo se convirtiera en una realidad.

3ra PARTE

HISTORIA 7

Edificando sin Ruido

A SALOMON le llevó cuatro años reunir todos los materiales necesarios para la construcción del templo, y luego siete años más para edificarlo.

Una de las razones por las que los preparativos llevaron tanto tiempo es que, antes de traer las piedras o las piezas de metal o de madera al lugar de la construcción, se las cortaba, pulía y moldeaba hasta tener su tamaño exacto. Como resultado de este trabajo cuidadoso, "durante la edificación no se oyó allí el golpe del martillo, ni el del pico, ni de ningún otro instrumento de hierro".

Así como Dios obra silenciosamente en la naturaleza, haciendo que el pasto crezca y que los árboles florezcan y den fruto sin ruido, de la misma manera fue construido su templo en Jerusalén.

Tal vez el Señor quería enseñar a su pueblo la manera en que él se propone levantar su iglesia en la tierra: no mediante métodos ruidosos y altisonantes, sino a través de la labor silenciosa de su Santo Espíritu en los corazones de hombres y mujeres. Algunos niños y niñas deberían recordar esto cuando están en la iglesia.

Al irse poniendo piedra sobre piedra, cada una iba calzando perfectamente en el lugar que le correspondía; así, en forma gradual, el edificio fue cobrando cuerpo.

Sin duda, muchos padres y madres que vivían en Jerusalén y en las aldeas cercanas traían a sus hijos al lugar de la construcción para observar admirados cómo los obreros trabajaban sin hacer ruido. Durante años —mucho antes de la muerte de David—, habían oído hablar de este glorioso templo; ahora lo veían crecer ante sus propios ojos. Y al observar el gran tamaño de los bloques de piedra que se empleaban en los cimientos, pudieron prever que el edificio llegaría a ser aún más hermoso de lo que habían soñado.

El tamaño del templo era justamente el doble del que había tenido el tabernáculo construido por Moisés en el desierto. Este tenía 16,50 m de largo, 5,50 de ancho y otro tanto de altura. El templo de Salomón, en cambio, tenía 33 m de largo, 11 de ancho y otros tantos de alto.

Pero así como el tabernáculo había estado dividido en dos partes —el lugar santo y el lugar santísimo— también el templo tenía dos grandes salas.

Las paredes y el techo estaban recubiertos con "planchas de cedro", y el piso, con "planchas de ciprés", de modo que no se veía "nada de piedra". Luego, las planchas de madera fueron recubiertas con oro laminado. "El oro de que recubrió [Salomón] los artesonados, las vigas, las pilastras, los muros y las puertas era de lo más fino. Hizo también cincelar querubines sobre los muros. . . Hizo también el velo, de jacinto, de púrpura, de escarlata y de lino, en el cual hizo dibujar querubines".

EDIFICANDO SIN RUIDO

En el lugar santísimo colocó dos querubines tallados en madera de olivo a los cuales se los había recubierto con oro y cuyas alas tocaban los muros de ambos lados. En el lugar santo, hizo poner un nuevo altar de incienso dorado, nuevas mesas de oro para los panes de la proposición y diez candelabros de oro, cinco en el costado derecho y cinco en el izquierdo.

¡Qué hermoso habrá sido poder estar en el interior del templo, observando los colores brillantes del velo y las luces titilantes de los diez candelabros reflejadas en el oro bruñido de las paredes, el piso y el techo!

Además, en el atrio del templo había un gran altar de bronce de unos diez metros de lado y cinco de alto para ofrecer los sacrificios. En el rincón sudoriental se encontraba el "mar de fundición" fabricado por Hiram, donde se bañaban los sacerdotes. Había también diez fuentes con lavatorios de bronce, donde se limpiaban los sacrificios antes de ser ofrecidos.

Por fin, siete años después de haberse iniciado la construcción, el magnífico edificio estuvo terminado. Los planos que Dios había dado a David se habían cumplido al pie de la letra. Todo, desde la colocación de las piedras fundamentales hasta el lustrado de la última granada de bronce, había sido hecho al máximo de la perfección de que es capaz el ser humano. Y todos, desde Salomón hasta el más humilde cantero, habían hecho lo mejor de su parte para lograr que este templo fuera el más glorioso de los que alguna vez pudieran construirse.

Sólo restaba ahora la ceremonia de dedicación. ¿Aceptaría Dios este edificio como suyo y lo honraría con su presencia, así como lo había hecho con el tabernáculo en el desierto?

S.B.S. 4-10

HISTORIA 8

La Dedicación del Templo

HABIA algo que se echaba de menos en el templo. Los candelabros de oro estaban en su lugar; también lo estaban las mesas de oro para los panes de la proposición, el altar de oro para quemar el incienso, las cortinas multicolores y los dos querubines dorados; pero... faltaba el arca.

En efecto, ésta se encontraba todavía en la tienda que David había hecho levantar después de traer el precioso cofre desde Quiriat-jearim a Jerusalén.

Por eso, cuando se concluyó la construcción del templo, su amueblamiento y decoración, "convocó Salomón a los ancianos de Israel, a todos los cabezas de las tribus y a los príncipes de las familias de los hijos de Israel, para trasladar el arca de la alianza de Jehová de la ciudad de David, que es Sion".

¡Qué procesión espectacular debe haber sido aquélla! ¡Y qué alegría ha de haber llenado el corazón de cuantos veían cómo el arca —el precioso cofre fabricado hacía quinientos años— era transportado reverentemente por los levitas hacia el lugar santísimo del nuevo templo, donde esperaban guardarlo para siempre, tratándolo con la reverencia que merecía!

Al mismo tiempo, los sacerdotes y levitas llevaban consigo todo lo que había quedado del antiguo tabernáculo, con "todos los utensilios sagrados" para colocarlos cuidadosamente en el nuevo edificio.

Cuando "los sacerdotes pusieron el arca de la alianza de Jehová en su sitio... bajo las alas de los querubines" deben haberse dado cuenta de cuán pequeña parecía en el nuevo ambiente, pues tenía sólo 1,25 m de largo por 0,75 m de alto y otro tanto de ancho.

Compárala, por ejemplo, con el nuevo lugar santísimo, que era un salón de once metros de lado y otros tantos de altura, o con las alas de cada querubín, que se extendían más de cinco metros de punta a punta.

Aunque era tan pequeña y no había en su interior "ninguna otra cosa más que las dos tablas de piedra que Moisés depositó en ella en Horeb", el arca era el objeto más importante y precioso de todo el templo. Sin el arca —vale decir, sin la ley de Dios que se encontraba dentro de ella y sin el propiciatorio que estaba por encima— los servicios del templo no tendrían ningún significado.

Repentinamente, al salir los sacerdotes del templo después de haber colocado el arca en su sitio, hubo una explosión de música y cantares. Ciento veinte sacerdotes tocaban las trom-

petas, mientras decenas de levitas cantaban y "hacían resonar los címbalos, los salterios y las cítaras... Todos al mismo tiempo cantaban a una, entre el tronar de las trompetas, los címbalos y los otros instrumentos músicos, y alababan y confesaban a Jehová: Porque es bueno, porque su misericordia es eterna". Entonces "la casa de Jehová se llenó de una nube".

Alguien comunicó a Salomón lo que había ocurrido y éste, que se hallaba en pie sobre un estrado de bronce de un metro y medio de altura situado en el centro del atrio, supo entonces que "la gloria de Jehová" se había manifestado para consagrar "la casa de Dios".

Profundamente conmovido al ver que el Señor se había dignado a mostrar su aprobación, el rey extendió las manos hacia el cielo ante los miles y miles que lo rodeaban y elevó esta hermosísima oración de dedicación:

"Jehová, Dios de Israel, no hay Dios semejante a ti, ni en el cielo ni en la tierra; tú guardas la alianza y la misericordia a tus siervos que andan delante de ti con todo su corazón... Pero ¿en verdad habitará Dios con el hombre en la tierra? Los cielos y los cielos de los cielos no pueden contenerte; ¡cuánto menos esta casa que yo he edificado!

"Pero atiende, oh Jehová, mi Dios, a la oración de tu siervo y a su súplica; oye el clamor y la oración con que tu siervo ora delante de ti, y que tus ojos estén siempre abiertos sobre esta casa día y noche, sobre este lugar de que has dicho: Allí estará mi nombre; y que oigas la oración que en este lugar ora tu siervo.

"Oye asimismo el ruego de tu siervo y de tu pueblo, Israel, cuando oren en este lugar; oye tú desde lo alto de los cielos, desde el lugar de tu morada; oye y perdona".

Entonces Salomón le hizo a Dios una serie de pedidos específicos:

1. "Si alguno pecare contra su prójimo... y vinieren a jurar ante tu altar en esta casa, óyele desde los cielos, y obra y juzga a tus siervos".

2. "Si tu pueblo Israel fuere derrotado delante del enemigo por haber prevaricado contra ti, y se convirtiere, y confesare tu nombre, y rogare delante de ti en esta casa, tú oirás desde los cielos, y perdonarás el pecado de tu pueblo".

3. Cuando hubiere sequía en el país, dijo, "y oraren a ti en este lugar, y confesaren tu nombre, convirtiéndose de sus pecados..., oye en los cielos y perdona el pecado de tus siervos... y dales la lluvia sobre tu tierra".

4. "Si hubiere hambre en la tierra, o pestilencia, o tizón, o añublo, o langosta... o hubiere cualquiera otra plaga o enfermedad; si un hombre, o todo Israel, hace oraciones y súplicas y... tendiere sus manos hacia esta casa, óyele desde los cielos... y perdona".

5. Si un extranjero viniere de tierras lejanas y orare en esta casa, rogó el rey, "óyele tú desde los cielos... y haz lo que con clamores te pida el extranjero, para que todos los pueblos de la tierra conozcan tu nombre".

6. "Si saliere tu pueblo a la guerra contra sus enemigos, por el camino que les señales, y oraren a ti. . . hacia la casa que a tu nombre he edificado, oye tú desde los cielos su oración, su ruego, y ampara su derecho".

7. "Si pecaren contra ti —pues no hay hombre que no peque— y, airado contra ellos, los entregares a sus enemigos, que los lleven cautivos a tierra enemiga, lejana o cercana, y ellos. . . se convirtieren y oraren a ti en la tierra de su cautividad. . . ; oye tú desde los cielos. . . su oración y su ruego, y perdona a tu pueblo".

Luego, al llegar al fin de su oración, el rey exclamó: "¡Oh Jehová, Dios! Levántate y ven a tu lugar de reposo, tú y el arca de tu majestad. Que tus sacerdotes, Jehová, Dios, se revistan de salud, y tus santos gocen de tus bienes".

¡Qué hermosa oración fue aquélla! ¡Tan llena de bondad y de consideración por los demás!

LA DEDICACION DEL TEMPLO

Y no quedó duda alguna de que Dios había oído aquella ferviente plegaria del monarca. Porque apenas había terminado Salomón de orar, "descendió fuego del cielo, que consumió los holocaustos y las víctimas, y la gloria de Jehová llenó la casa".

Cuando todos los miles que se habían congregado para esta grandiosa ceremonia vieron el fuego y observaron cómo brillaba el templo con la impresionante gloria de Dios, "cayeron a tierra sobre sus rostros en el pavimento, y adoraron y confesaron a Jehová: Porque es bueno, porque es eterna su misericordia".

Estoy seguro de que esa noche, cuando las madres pusieron a sus niños a dormir, más de un pequeño debe haber dicho: "Mamá, ¿viste bajar el fuego del cielo? ¡Qué maravilloso! ¡Cuán cerca debe haber estado Dios de nosotros en ese momento!"

HISTORIA 9

Palabras de Advertencia

DESPUES del solemne servicio de dedicación, Salomón preparó un gran festín para las multitudes que habían venido a Jerusalén. Las festividades duraron siete días, y "el día octavo despidió al pueblo, y ellos bendijeron al rey, yéndose cada uno a su morada, alegre y lleno de gozo de corazón por todos los beneficios que Jehová había hecho a David, su siervo y a su pueblo".

Cuando todos los visitantes se hubieron ido y las actividades volvieron a su ritmo normal, "se apareció Jehová por segunda vez a Salomón". La primera vez Dios se le había aparecido en Gabaón, justamente después de haber sido coronado rey. Entonces, el joven monarca había elevado aquella hermosa oración pidiendo sabiduría, y Dios había satisfecho su pedido.

Ahora el Señor tenía algo más que decirle.

"He oído tu oración, el ruego que has hecho ante mí —le dijo, refiriéndose a la plegaria de dedicación del templo—. He santificado esa casa que has edificado para poner en ella mi nombre para siempre... Si andas en mi presencia, como anduvo David, tu padre..., haciendo cuanto yo te he mandado..., yo afirmaré el trono de tu reino sobre Israel para siempre...

"Pero —y Salomón debe haber escuchado esto con cierta ansiedad— si os apartáis de mí vosotros y vuestros hijos, si no guardáis mis mandamientos, mis leyes, las que os he prescrito, y os vais tras dioses ajenos para servirlos y prosternaros ante ellos, yo exterminaré a Israel de la tierra que le he dado y echaré lejos de delante de mí esta casa, que he consagrado a mi nombre, e Israel será el sarcasmo y la burla de todos los pueblos. Y esta casa será una ruina, y cuantos pasen cerca de ella se quedarán pasmados y silbarán. Se dirá: ¿Por qué ha tratado así Jehová a esta tierra y esta casa?

"Y responderán: Porque abandonaron a Jehová, su Dios".

¿Que este glorioso templo quedaría en ruinas? ¿Cómo sería posible tal cosa?, pensó Salomón. ¡No, Dios no permitiría que algo tan hermoso, tan sólido y tan reverenciado fuera destruido!

Y en verdad, sorprendían estas palabras del Señor referidas a un edificio en cuya construcción el rey había empleado los siete mejores años de su vida. ¿Eran necesarias estas solemnes palabras de advertencia?

Sí, lo eran, como veremos.

Salomón ya se había casado con la hija del rey de Egipto, y siempre se corría el riesgo de que sus hijos desearan adorar los dioses paganos que ella había reverenciado.

El monarca estaba convirtiéndose rápidamente en el hombre más rico del mundo, al fluir hacia Jerusalén más oro y más plata de lo que la gente había visto en su vida.

Además, el monarca había comenzado a gastar pródigamente el dinero y a vivir en medio del lujo, con todos los peligros que este tipo de vida acarrea.

Por todo eso, Dios le dijo que tuviera cuidado, pues la obediencia a sus mandamientos es mucho más importante a su vista que todos los hermosos edificios que el hombre pueda construir.

El hacer la voluntad de Dios, el decir siempre la verdad, el tener pensamientos puros, el vivir una vida noble: todo esto significa más para el Señor que cuanto podamos construir con piedras, madera, oro o plata.

Es claro que Dios deseaba que el templo de Salomón permaneciera para siempre. Así lo manifestó. Pero eso ocurriría sólo si Salomón y sus descendientes se mantenían fieles a él. Si llegaban a olvidarlo y a seguir a otros dioses, el templo desaparecería de sobre la faz de la tierra.

Hoy no encontramos el hermoso templo de Salomón en la ciudad de Jerusalén. ¿Por qué? Porque la advertencia de Dios fue desoída.

3ra PARTE

HISTORIA 10

La Reina de Sabá

AL DIFUNDIRSE en otras tierras los datos de la riqueza y de la sabiduría de Salomón, reyes y dirigentes venían a visitarlo, cada vez en mayor número. "Todo el mundo buscaba ver a Salomón para oír la sabiduría que había puesto Jehová en su corazón; y todos le llevaban presentes, objetos de plata, de oro; vestidos, aromas, caballos y mulos, y todos los años era lo mismo".

Además, "todos los reyes de Arabia y... los gobernadores de la tierra... recaudaban oro y plata para Salomón". De ese modo, el rey se iba volviendo cada vez más rico.

El peso de oro que le llegaba cada año era de 666 talentos —una suma fabulosa de dinero—, sin contar el que le traían "los grandes y pequeños mercaderes..., los príncipes de los beduinos... y los intendentes de la tierra".

Para aumentar aún más su riqueza, Salomón hizo construir dos flotas mercantes, una de las cuales navegaba por el Mar Rojo trayéndole oro desde la tierra de Ofir, y la otra recorría el mar Mediterráneo comerciando con las tierras occi-

HERBERT
RUDEEN

dentales. "Cada tres años" regresaban estas embarcaciones "trayendo oro, plata, marfil, monos" y pavos reales. Por otra parte, tenía 1.400 carruajes y 12.000 jinetes. Y en Jerusalén, la plata llegó a abundar tanto como las piedras.

Con algo de esta riqueza, Salomón se hizo construir "un gran trono de marfil, que cubrió con láminas de oro purísimo". Este trono tenía seis gradas, con un león a cada lado de ellas, y dos junto a los brazos del trono. No en vano dice la Biblia que no se había hecho "nada semejante para rey alguno". ¡Y qué impresión debe haber causado a los visitantes!

"Todas las copas del rey Salomón eran de oro... No había nada de plata, no se hacía caso alguno de ésta en tiempos de Salomón".

Entre los muchos personajes famosos que vinieron a ver al rey, se encontraba la reina de Sabá. Según se cree, ella vivía en la región sur de Arabia, y su viaje a Jerusalén debe haber sido largo y cansador, porque llegó "con muy numeroso séquito y con camellos cargados de aroma, de oro en gran cantidad y de piedras preciosas".

La reina ha de haber sida una mujer muy inteligente y, a la vez, ávida de adquirir más conocimiento. Ella se había enterado de la fama de Salomón "y vino a Jerusalén para probarle con enigmas". La Biblia no los registra, y sólo nos dice que "Salomón respondió a todas sus preguntas".

La reina debe haber subido más de una vez por las gradas hasta el magnífico trono de oro y marfil, entre los doce leones. Y "viendo la sabiduría de Salomón, la casa que había construido, los manjares de su mesa, el asiento de sus servidores, el porte y los vestidos de la servidumbre y la subida de la casa de Jehová, fuera de sí, dijo al rey: Verdad es cuanto de tu estado

RACION DE HERIBERTO RUDEEN

mpañada de una larga columna de sier- camellos y caballos que llevaban aromas, y piedras preciosas, la reina de Sabá a visitar al famoso rey Salomón.

y tu sabiduría había oído en mi tierra. No lo creía hasta que he venido y lo he visto con mis ojos; y hallo ahora que no me habían dicho ni la mitad de tu grandeza, de tu sabiduría, pues sobrepuja la fama que a mí había llegado. Dichosas tus gentes, dichosos tus servidores, que continuamente están delante de ti y oyen tu sabiduría".

Luego añadió estas palabras de alabanza al Dios de Salomón: "Bendito Jehová, tu Dios, que te ha hecho la gracia de ponerte sobre el trono de Israel. Por el amor que Jehová tiene a Israel, te ha hecho su rey para que hagas derecho y justicia". Y antes de despedirse dio al rey Salomón 120 talentos de oro, "gran cantidad de aromas y de piedras preciosas, y no hubo nunca aromas como los que la reina de Sabá dio a Salomón".

Al volverse a su tierra, la reina llevó consigo también el magnífico recuerdo de un rey a quien el Dios del cielo había prosperado en gran medida, y de una tierra ricamente bendecida.

¡Oh, cuánto bien podría haber hecho Salomón si hubiera continuado testificando por Dios de esta manera! ¡Cuántos más reyes y reinas podrían haber llegado a conocer la bondad y el amor de Dios! Debido a su riqueza y sabiduría, Salomón estaba en condiciones de llenar la tierra con el conocimiento del Señor. Sin embargo, no lo hizo. El hombre más sabio de la tierra no vivió conforme a lo que Dios esperaba de él.

3ra PARTE

HISTORIA 11

Gemas de Sabiduría

DIA TRAS día, año tras año, de la aguda mente de Salomón fue fluyendo un río de sabiduría. "Pronunció tres mil proverbios y fueron sus cánticos mil cinco". Sin duda el rey tenía siempre cerca a un escriba o secretario para que fuera escribiendo sus dichos a medida que se le ocurrían. Muchos de ellos se encuentran hoy en los libros bíblicos de Proverbios y Eclesiastés.

He aquí un buen consejo para ti, como estudiante: "Si invocas a la inteligencia y a voces llamas a la prudencia; si la buscas como se busca la plata, cual si excavaras un tesoro, entonces tendrás el temor de Jehová y hallarás el conocimiento de Dios".

Todo niño y toda niña debieran aprender de memoria estos dos versículos: "Confía en Jehová de todo corazón y no te apoyes en tu prudencia". "En todos tus caminos piensa en él, y él allanará tus senderos".

He aquí algunos buenos consejos para jóvenes y adultos: "No te metas por las sendas del impío, no vayas por el camino de los malos. Esquívale, no pases por él; tente apartado de él, pasa de lejos... Mas la senda de los justos es como luz de aurora, que va en aumento hasta ser pleno día".

Observando cierto día a las hormigas, vio en sus actividades una lección para los perezosos: "Ve, ¡oh perezoso!, a la hormiga; mira sus caminos y hazte sabio. No tiene capitán, ni rey, ni señor. Y se prepara en el verano su mantenimiento. Reúne su comida al tiempo de la mies... ¿Hasta cuándo, perezoso, dormitarás?... Un poco dormitar, un poco adormecerse, un poco mano sobre mano descansando, y sobreviene como correo la miseria y como ladrón la indigencia".

Proverbios 4:18

Acerca del consumo de vino y de todas las bebidas que contienen alcohol, Salomón hizo comentarios muy sabios: "Pendenciero es el vino, tumultuosa la bebida alcohólica; quienquiera que se da a ellas no es sabio". "¿A quién los ayes, a quién los lamentos, a quién las contiendas, a quién las quejas, a quién los palos por nada, a quién los ojos hinchados? A quien se para mucho ante el vino, a los que se van en busca de mixtura. No mires mucho al vino cuando rojea... Entrase suavemente, pero al fin muerde como sierpe y pica como áspid".

Aquí tienes otras preciosas gemas de sabiduría, relativas a distintos asuntos:

"El chismoso descubre los secretos, el hombre fiel lo encubre todo".

"El benéfico se sacia, y quien largamente da, largamente tendrá".

Proverbios 6:10, 11

"Quien conquista las almas es sabio".

"Mejor que el fuerte es el paciente".

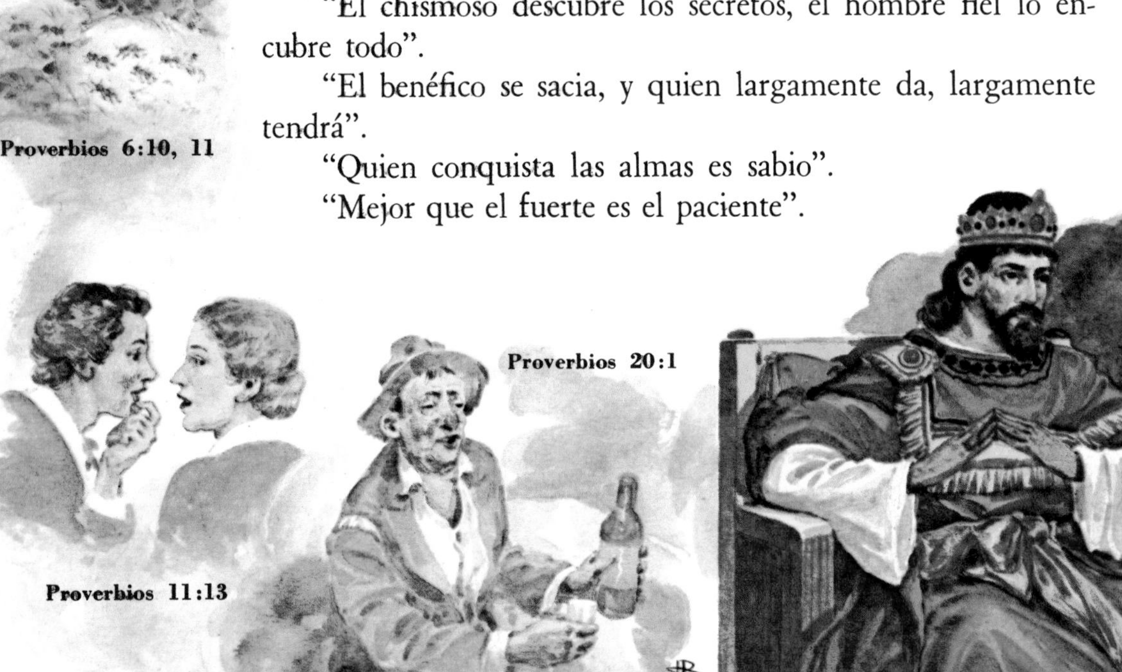

Proverbios 20:1

Proverbios 11:13

GEMAS DE SABIDURIA

Proverbios 15:1

"Los labios mentirosos los aborrece Jehová; se agrada de los que proceden sinceramente".

"Una respuesta blanda calma la ira; una palabra áspera enciende la cólera".

"La soberbia precede a la caída, y la altivez de espíritu a la ruina".

"El amigo ama en todo tiempo; es un hermano para el día de la desventura".

Proverbios 17:22

"Corazón alegre constituye buen remedio".

"Hay amigos que sólo son para ruina, pero los hay más afectos que un hermano".

"Aun el niño da a conocer por sus acciones si su obra será luego recta y justa".

"Más que las riquezas vale el buen nombre; más que la plata y el oro, la buena gracia".

Proverbios 22:6

"Instruye al niño en su camino, que aun de viejo no se apartará de él".

"Fruto de oro en plato de plata es la palabra dicha a tiempo".

"Pruebas de lealtad son las heridas del amigo, y ficticios los besos de enemigo".

"El que oculta sus pecados no prosperará, el que los confiesa y se enmienda alcanzará misericordia".

Te convendría aprender de memoria todos estos proverbios. Y si tratas de seguir y obedecer sus enseñanzas, vivirás una vida próspera y feliz. Porque en ellos esta resumida no sólo la sabiduría de Salomón, sino la de Dios.

S.B.S. 4-11

Proverbios 22:1

Proverbios 28:13

HISTORIA 12

Un Gran "Pero"

AUNQUE Salomón era poderoso, sabio y rico, había un gran "pero" en su vida. Lo encontrarás en el primer versículo del capítulo undécimo del primer Libro de los Reyes. "*Pero* el rey Salomón amó apasionadamente muchas mujeres extranjeras".

Sí, el monarca tenía muchas, muchas mujeres. Centenares de ellas. Tantas, que difícilmente habrá podido recordar los nombres de todas. Y lo peor es que estas mujeres no eran israelitas, sino "moabitas, amonitas, edomitas, sidonias, y heteas"; precisamente aquellas con quienes Dios había prohibido en forma expresa a su pueblo que se casara.

Una de las razones por las que Salomón se casó con tantas mujeres es que cada una de ellas traía consigo una gran dote de su padre rico. Sin embargo, aunque le trajeron grandes riquezas, estas mujeres "torcieron su corazón".

Recuerdas que cuando Salomón era joven, inició su reinado con su corazón puesto en Dios. Por eso construyó el templo y elevó aquella hermosa plegaria de dedicación. Sin embargo, cuando todas estas princesas extranjeras comenzaron a reunirse en Jerusalén, quisieron, como es natural, adorar a sus propios dioses. ¿Qué otra cosa podían hacer si no conocían al verdadero Dios? Algunas adoraban a Astoret, la diosa de los sidonios; otras a Moloc, la "abominación de los hijos de Amón". Para mantenerlas felices y en paz, Salomón hizo construir lugares de adoración para estos dioses paganos. "Y de modo semejante hizo para todas sus mujeres extranjeras, que allí quemaban perfumes y sacrificaban a sus dioses".

La buena gente de Jerusalén debe haberse escandalizado. ¡Pensar que su rey, el hijo de David, era capaz de permitir la celebración de cultos idólatras a la vista del hermoso templo! ¡Qué horrible!

Para adorar a Moloc se requería el sacrificio de niños vivos, a quienes se hacía "pasar por el fuego", gritando de miedo y dolor. ¿Cómo era posible que Salomón, que había mostrado tanta ternura hacia el bebé que aquellas dos mujeres le habían traído, permitiera ahora que los pequeños inocentes sufrieran tan horrenda tortura? ¡Cuán bajo puede caer un hombre! No sorprende entonces que la Biblia diga que "Jehová irritóse con Salomón".

Y en verdad el Señor tenía razón de estar enojado. Cuando el rey era joven, dos veces le había prometido grandes ben-

diciones si hacía lo recto y seguía sus caminos; pero ahora Salomón lo había chasqueado. A pesar de toda la sabiduría que le había dado, el monarca había llegado a actuar conscientemente como un insensato. "El no siguió lo que Jehová le había mandado", y pronto comenzó a pagar el precio de su desobediencia e insensatez.

Jehová dijo a Salomón: "Pues que así has obrado y has roto mi alianza y las leyes que yo te había prescrito, yo romperé sobre ti tu reino y se lo entregaré a un siervo tuyo".

¡Qué triste! ¡Tan bien había comenzado! ¡Tan grandes bendiciones había recibido de Dios! Y ahora, el Señor lo había rechazado como a Saúl antes que él.

Es cierto que había tenido riquezas, poder, prestigio y todo lo que un hombre puede soñar; pero había olvidado a Dios. Y cuando uno pierde a Dios, lo pierde todo.

¿Hay algún "pero" en tu vida? ¿Puede decirse de ti: Este muchachito tiene una hermosa casa, muchos juguetes lindos, una bicicleta nueva, PERO dice mentiras, o no se puede confiar en él, o no quiere ir a la iglesia? ¿O puede decirse de ti: Esta niña tiene magníficos padres, ropas elegantes, lo mejor de todo, PERO tiene mal genio, es murmuradora e impaciente, y nunca dice sus oraciones?

¡Cuidémonos de los "peros" en nuestra vida!

CUARTA PARTE

Historias de Israel y de Judá

(1° de Reyes 12:1 a 16:34)

4ta PARTE

HISTORIA 1

El Precio de la Insensatez

¡QUE precio debió pagar Salomón por su insensatez! Las princesas extranjeras que introdujo en su palacio no sólo trajeron sus ídolos y sus falsas religiones, sino también un montón de dificultades.

Cuando los israelitas vieron que su grande y famoso rey permitía que tales cosas ocurrieran en Jerusalén, algunos comenzaron a pensar que, después de todo, los dioses paganos no debían ser tan malos. Si Salomón, el sabio, consideraba que estaba bien adorarlos, ¿qué había de malo en rendirles culto? Así la idolatría comenzó a difundirse por todo el reino y llegó a echar tan profundas raíces, que durante siglos nadie pudo eliminarla. A medida que los israelitas se alejaban lentamente de Dios, el Señor también se fue apartando de ellos. Dejó de derramar sus bendiciones en forma tan abundante como antes y una oscuridad cayó sobre el reino, como cuando el sol se oculta tras una nube.

Durante un tiempo Israel había estado en paz desde el río Eufrates hasta la frontera con Egipto; pero ahora comenzaron

TRACION DE VERNON NYE

profeta Ahías se quitó su hermoso manto vo, lo partió en doce piezas y le dio eroboam diez de ellas, indicando así que s lo pondría como rey de diez tribus.

a levantarse movimientos sediciosos en diversos lugares. Una de esas revoluciones fue encabezada por Hadad el edomita, y otra por Rezón, rey de Damasco, "siendo enemigo de Israel todo el tiempo de la vida de Salomón". Y hasta Jeroboam, uno de los siervos de más confianza de Salomón, se levantó contra él.

Un día, mientras este hombre andaba solo por un camino cercano a Jerusalén, se le acercó el profeta Ahías vestido con una capa nueva.

Para gran sorpresa de Jeroboam, Ahías se quitó el manto nuevo, lo partió en doce pedazos y le dio diez a él. Luego le dijo: "Coge diez pedazos, porque así habla Jehová, Dios de Israel: Voy a romper el reino en manos de Salomón y a darte a ti diez tribus... porque me ha abandonado y se ha prosternado ante Astoret, diosa de los sidonios; ante Quemos, dios de Moab, y ante Moloc, dios de los hijos de Amón. No ha marchado por mis caminos, haciendo lo que es bueno a mis ojos y guardando mis leyes y mandamientos, como lo hizo David, su padre... A ti tomaré yo... y serás rey de Israel".

Piensa un momento: Salomón tenía muchísimas esposas y, sin duda, muchos hijos; ¡pero Dios los pasó a todos por alto e hizo planes de entregar diez de las doce tribus a un criado del rey! ¡Cuán disgustado debe haber estado el Señor por la manera en que Salomón se había comportado!

Cuando Salomón se enteró de que Ahías le había dicho a Jeroboam que el Señor lo había elegido como el próximo rey, trató de matarlo. "Pero Jeroboam huyó, refugiándose en Egipto, cerca de Sisac, rey de Egipto, hasta la muerte de Salomón".

Cuando el anciano rey vio cómo sus amigos lo abandonaban y advirtió cuántos problemas le habían causado sus es-

posas paganas, se dio cuenta del fracaso que había hecho de su vida.

Mirando hacia el pasado dijo:

"Emprendí grandes obras, me construí palacios, me planté viñas, me hice huertos y jardines y planté en ellos toda suerte de árboles frutales. Me hice estanques para regar de ellos el bosque donde los árboles crecían. Compré siervos y siervas y tuve muchos nacidos en mi casa; tuve mucho ganado, vacas y ovejas, más que cuantos antes de mí hubo en Jerusalén. Híceme con cantores y cantoras y con cuanto es deleite del hombre, princesas sin número.

"Fui grande, más que cuantos antes de mí fueron en Jerusalén, conservando mi ciencia. Y de cuanto mis ojos pedían, nada les negué. No privé a mi corazón de goce alguno, y mi corazón gozaba de toda mi labor, siendo éste el premio de mis afanes.

"Entonces miré todo cuanto habían hecho mis manos y todos los afanes que al hacerlo tuve, y vi que todo era vanidad y apacentarse de viento y que no hay provecho alguno debajo del sol".

¡No había obtenido provecho! ¡Sólo vanidad! Y todo eso porque, en algún momento de su vida, había dejado a Dios a un lado. Cerca del final de su existencia, sin embargo, se acercó otra vez al Señor y se arrepintió de todos sus errores.

"El resumen del discurso, después de oírlo todo, es éste —escribió—: Teme a Dios y guarda sus mandamientos, porque eso es el hombre todo. Porque Dios ha de juzgarlo todo, aun lo oculto, y toda acción, sea buena, sea mala".

Sin embargo, ya era demasiado tarde para enmendar lo que había hecho o impedir las consecuencias de sus errores. ¡Qué pena que Salomón no siguió este buen consejo durante toda su vida! ¡Cuán diferentes habrían sido las cosas para él y para su pueblo!

HISTORIA 2

La División del Reino

CUANDO Salomón murió, fue sepultado en la ciudad de David y "le sucedió Roboam, su hijo". De inmediato se hicieron los planes para la coronación del nuevo rey, que se celebraría en Siquem, donde había lugar suficiente para acomodar a los miles que se congregarían. En efecto, "todo Israel" vino "para proclamarle rey".

Entretanto, la noticia de la muerte de Salomón había llegado a oídos de Jeroboam, que se hallaba en Egipto. Este, recordando lo que el profeta Ahías le había anunciado, se apresuró a volver a su patria para ver lo que ocurriría.

Cuando llegó a Siquem todo el mundo lo reconoció porque, antes de huir a la corte del faraón, había sido uno de los oficiales más conocidos y eficientes de Salomón. Muchos deben haberse preguntado por qué había regresado tan pronto después de la muerte del anciano monarca. Pocos sospecharon entonces que pronto llegaría a ser el jefe de una gran rebelión.

Inmediatamente después de la coronación, Jeroboam y algunos de los dirigentes de Israel se entrevistaron con el nuevo rey y le rogaron que aliviara algunas de las cargas que Salomón había colocado sobre el pueblo. Deseaban que se redujeran los impuestos y que se abolieran las leyes de servicio obligatorio; porque Salomón, interesado en llevar a cabo su gran programa de construcciones, había cobrado elevados impuestos y había obligado a decenas de miles de personas a trabajar para él, quisiéranlo o no.

Roboam dijo que les contestaría en tres días. En seguida pidió la opinión de sus consejeros más ancianos, quienes le sugirieron que accediera a los pedidos de los dirigentes. "Si ahora te rindes a este pueblo —le dijeron— y le complaces hablándole blandas palabras, te estará siempre sujeto".

Inseguro todavía acerca de lo que debía hacer, Roboam consultó a los hombres más jóvenes que lo rodeaban y les preguntó qué debía hacer. Estos le dijeron que mostrara al pueblo "quién era el que mandaba", y que gobernara con mano fuerte desde el mismo comienzo.

Actuando tontamente, el rey desoyó "el consejo que le habían dado los ancianos" y aceptó el de los jóvenes. "Mi padre hizo pesado vuestro yugo y yo lo haré más pesado todavía —dijo al pueblo—; mi padre os azotó con azotes y yo os azotaré con escorpiones".

No es de sorprender que pronto surgieran dificultades. Cuando sus palabras se difundieron entre los miles reunidos en Siquem, todo el mundo se enojó. Los israelitas habían venido a la coronación con la esperanza de que

se los aliviara de las cargas y no para que se las hicieran más pesadas. Habían soportado a Salomón, pero no estaban dispuestos a aguantar las imposiciones de este rey novicio.

Rápidamente el espíritu de rebeldía se encendió en cada corazón y corrió como un reguero de pólvora por todo el campamento. "¿Qué tenemos que ver nosotros con David? —gritaron los hombres de las tribus del norte—. No tenemos heredad con el hijo de Isaí. ¡A tus tiendas, Israel! ¡Provee ahora a tu casa, David!"

Así comenzó la gran rebelión. Diez tribus siguieron a Jeroboam y lo coronaron rey. Roboam, en cambio, se quedó con sólo dos tribus: Judá y Benjamín.

Cuando Roboam volvió a Jerusalén se sintió muy disgustado. ¡Cuán grande había sido su error! A causa de sus palabras irreflexivas había perdido la mayor parte del reino de su padre, y quiso recuperarlo. Por eso convocó a sus mejores soldados —180.000 hombres— y los preparó para obligar a los rebeldes a volver a estar bajo sus órdenes.

Justamente entonces un varón de Dios llamado Semaías le trajo este mensaje del Señor: "No subáis a hacer la guerra a vuestros hermanos, los hijos de Israel. Vuélvase cada uno de vosotros a su casa, porque de mí ha venido esto".

Roboam tuvo el buen juicio de obedecer la voz de Dios, y ordenó a los soldados que regresaran a sus casas. Luego trató de arreglárselas con lo que le quedaba. Su primera acción fue la de fortificar varias de las ciudades que estaban en sus dominios en previsión de que los rebeldes trataran de apoderarse de ellas. "Guarneció también las fortalezas, y puso en ellas jefes, y las avitualló de aceite y vino, las proveyó de armas, escudos y lanzas, fortificándolas en gran manera, y Judá y Benjamín le estuvieron sujetos".

Entretanto, Jeroboam comenzaba a demostrar qué clase de hombre era. Apenas las diez tribus lo coronaron rey, hizo dos becerros de oro para que los adorara el pueblo. Su excusa fue: "Bastante tiempo habéis subido a Jerusalén; ahí tienes a tu dios, Israel, el que te sacó de la tierra de Egipto". E "hizo poner uno de los becerros en Bet-el y el otro en Dan".

El mismo ofreció sacrificios a estos ídolos "e hizo sacerdotes a gentes de pueblo que no eran de los hijos de Leví". En vista de esto, los levitas se trasladaron a Jerusalén.

Sólo cinco años después de la muerte de Salomón este imperio rico y orgulloso estaba hecho pedazos y entregado a la idolatría. Su gloria se había desvanecido.

Cuando Salomón se casó con las princesas paganas nunca pensó que todo esto ocurriría. Se creyó suficientemente fuerte y sabio como para no dejarse atraer por las religiones falsas. Sin embargo, no resistió. Sus mujeres primero le robaron el corazón y luego el reino.

HISTORIA 3

El Saqueo del Templo

DURANTE tres años Roboam no tuvo grandes problemas. Los sacerdotes y levitas cuyos hogares habían quedado en el territorio que ocupaba ahora el reino de las diez tribus dejaron sus posesiones y comenzaron a establecerse en Jerusalén junto con otros "que tenían puesto su corazón en seguir a Jehová".

Conmovidos por los recientes acontecimientos, los habitantes del reino de Judá oraron al Señor y se esforzaron por serle fieles como no lo habían hecho durante muchos años. Hasta pareció que estaba por ocurrir un gran reavivamiento. "Así se fortaleció el reino de Judá y afirmaron a Roboam, hijo de Salomón, por tres años, pues tres años siguieron por el camino de David y Salomón".

Pero la situación no duró mucho tiempo porque Roboam sufría del mismo defecto de su padre: deseaba tener muchas mujeres. Y los resultados de esta debilidad fueron los mismos. "Cuando Roboam se hubo afirmado en el reino y se sintió fuerte, se apartó de la ley de Jehová, y con él todo Israel".

Durante los dos años subsiguientes tanto el rey como el pueblo fueron apartándose más y más de Dios. Entonces llegaron noticias de que Sisac, rey de Egipto, avanzaba contra ellos con un ejército de sesenta mil jinetes y mil doscientos carros.

Mientras Salomón vivía, nadie se había atrevido a atacar a la nación hebrea. Ahora, en cambio, sus defensas ni siquiera merecían ese nombre. Los egipcios tomaron con facilidad todas las ciudades que Roboam había fortificado con tanto cuidado. Entonces se dirigieron a Jerusalén.

Precisamente en ese momento el profeta Semeías "se presentó a Roboam y a los príncipes de Judá, que estaban reunidos en Jerusalén por miedo a Sisac, y les dijo: Así dice Jehová: Vosotros me habéis dejado a mí, por eso también yo os he dejado a vosotros en manos de Sisac".

El rey y los príncipes se asustaron. Aunque hacía tiempo que se habían olvidado de Dios, nunca se les había ocurrido que *él* podría abandonarlos. Humillándose sinceramente, confesaron sus pecados y clamaron: "Justo es Jehová".

Mostrando una vez más su eterna bondad, el Señor le dijo a Semeías: "Se me han humillado; no los destruiré, antes los

salvaré pronto, y no derramaré mi ira sobre Jerusalén por medio de Sisac".

Y así se abrieron las puertas de Jerusalén y entró el rey de Egipto. Sisac había oído hablar mucho de las riquezas de Salomón y ahora tenía ocasión de verlas por sí mismo. Encaminándose directamente hacia el hermoso templo, se apoderó de sus tesoros y de "los de la casa del rey; todo se lo llevó. Tomó los escudos de oro que había hecho Salomón".

Satisfecho con el botín, el invasor no destruyó el templo ni la ciudad, sino que se volvió a su tierra regocijándose con su buena fortuna de haber podido obtener tanto con tan poco esfuerzo.

Cuando Sisac y los suyos se hubieron ido, Roboam y los príncipes de Judá se encaminaron hacia el templo para ver lo que habían dejado los invasores. ¡Cuán tristes deben haberse sentido al caminar por el edificio despojado de sus tesoros y que una vez había sido la gloria de Israel y la envidia del mundo!

Roboam ordenó que se fabricaran escudos de bronce para reemplazar los de oro de Salomón. Este solo hecho revela lo que había ocurrido con los hijos de Israel debido a que, una vez más, se habían apartado de Dios.

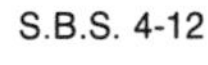
S.B.S. 4-12

HISTORIA 4

El Altar Quebrado

AUNQUE Jeroboam se había apartado de Dios, el Señor no lo había abandonado del todo. Cierto día, mientras el rey estaba por hacer sacrificios ante el becerro de oro que había colocado en Bet-el, oyó que alguien hablaba en voz alta en medio de la ceremonia.

Dándose vuelta para ver quién era el que osaba interrumpirlo, Jeroboam vio a un hombre vestido como un profeta de Dios. Prestando atención, oyó que exclamaba: "¡Altar, altar! Así habla Jehová: Nacerá de la casa de David un hijo que se llamará Josías, que inmolará sobre ti a los sacerdotes de los altos que en ti sacrifican, y sobre ti quemarán huesos humanos".

Jeroboam se incomodó al oír esto. ¡Ese hombre debía estar loco! ¿Cómo podía conocer el nombre de alguien que no había nacido aún, o saber lo que esa persona haría con este altar? Ni por un momento se le ocurrió pensar que el Señor le permitía echar una mirada a hechos futuros —separados de él por trescientos años— cuando el buen rey Josías destruiría ese altar, reduciéndolo a polvo.

RACIÓN DE KREIGH COLLINS

ndo Jeroboam oyó la profecía relativa Josías, trató de prender al profeta para tarlo. Pero al intentarlo, se le paralizó brazo y el altar se rompió ante sus ojos.

Muy airado, el rey quiso matar al profeta. Pero el hombre de Dios siguió hablando: "Esta es la señal que da Jehová —dijo—: el altar se quebrará y se derramará la ceniza que hay en él".

Esto era ya demasiado para Jeroboam. "¡Prendedle!", ordenó a sus hombres mientras él mismo extendía la mano tratando de agarrar al profeta. Pero su ademán se detuvo a mitad de camino. Jeroboam sintió un terrible dolor en el brazo. ¡Se le había quedado rígido, paralizado! En seguida oyó un estrépito a su lado y, dándose vuelta, vio que el altar se desmoronaba ante sus propios ojos mientras las cenizas caían por entre las rajaduras.

Ahora se sentía atemorizado, y con razón... "¡Ora por mí!", rogó.

El profeta así lo hizo y Dios, en su gran misericordia, sanó a Jeroboam a pesar de todo el mal que había hecho. "El rey pudo volver a sí la mano, que quedó como estaba antes". Esa era la última ocasión que tenía Jeroboam para arrepentirse y cambiar su vida. ¿La aprovechó? ¿Destruyó sus ídolos y condujo las diez tribus de regreso hacia Dios? No, no lo hizo. La Biblia dice que "a pesar de esto, no se apartó Jeroboam de su mal camino".

HISTORIA 5

Muerto por un León

VENTE conmigo a mi casa para tomar algo —le dijo Jeroboam al profeta— y te haré un presente.

—No iré contigo a tu casa —le dijo el hombre de Dios— aunque me dieras la mitad de ella; y no comeré pan ni beberé agua en este lugar.

—¿Por qué no? —le preguntó el rey.

—Porque el Señor me ha dicho: No comas pan, ni bebas agua, ni tomes para tu vuelta el camino por donde vayas —fue la respuesta. Y sin más, el profeta inició el viaje de regreso.

Sin embargo, algunos muchachos que habían visto lo ocurrido a Jeroboam y al altar, habían ido corriendo hacia su casa para contarle a su anciano padre lo sucedido. Casi me parece oírlos diciendo: "¡Hubieras visto, papá, la cara que puso el rey cuando vio que no podía mover el brazo y que el altar se caía hecho pedazos!"

"¿Por qué camino ha ido el profeta?", preguntó el anciano, ansioso de enterarse de los detalles de lo ocurrido. Al oír la respuesta de sus hijos, les ordenó: "Aparejadme el asno".

Luego, cabalgando tan rápido como podía, tomó el camino por donde había ido el hombre de Dios hasta que lo encontró sentado bajo una encina.

—Ven conmigo a casa para tomar algún alimento —le dijo.

—No, gracias —le respondió el hombre de Dios, añadiendo lo mismo que le había dicho a Jeroboam. Y en su afán de convencerlo, el anciano le mintió.

—Yo también soy profeta como tú —le dijo—, y un ángel me ha hablado de parte de Jehová, diciéndome: Tráele contigo a tu casa para que coma pan y beba agua.

Engañado, el hombre de Dios lo acompañó hacia su casa. Pero apenas había terminado de comer, el que lo había invitado le dijo: "Así habla Jehová: Por haber sido rebelde al mandato de Jehová, y no haber guardado la orden que Jehová, tu Dios, te había dado. . . , no entrará tu cadáver en la sepultura de tus padres".

De inmediato el hombre de Dios se dio cuenta de que había cometido un terrible error. Tristemente montó en un asno que el anciano le dio y reanudó el viaje. No había avanzado mucho, sin embargo, cuando "encontró en el camino un león, que le mató".

MUERTO POR UN LEON

Otros viajeros que pasaban por el camino vieron a un hombre muerto junto al cual había un asno y un león. Volvieron en seguida a la ciudad y contaron lo que habían visto. Al enterarse de ello el anciano salió a ver si era cierto. Y lo era. Allí estaba el león, el asno y el cuerpo del hombre de Dios. "El león ni había devorado el cadáver ni había dañado al asno". El anciano puso el cadáver sobre el asno, lo trajo a su casa y lo enterró en su propia sepultura, mientras lloraba diciendo: "¡Ay, hermano mío!"

Tal fue la suerte que corrió aquel profeta desobediente. ¡Y qué importante lección nos enseña! ¡Cuán cuidadosos debemos ser! Este buen hombre había sido honrado por Dios en forma extraordinaria cuando se enfrentó con Jeroboam. Transmitiéndole las palabras del Señor, había visto desmoronarse el altar y paralizarse el brazo del rey. Y hasta había observado cómo su oración en favor del rey había recibido una respuesta instantánea. Sin embargo, veinticuatro horas después yacía junto al camino, muerto por un león, porque había desobedecido a Dios.

HISTORIA 6

La Reina Disfrazada

UN POCO después de esto ocurrió algo en la casa de Jeroboam que lo hizo entristecer mucho. Su hijo Abías enfermó y a pesar de todos los cuidados nadie pudo hacerlo sanar.

Finalmente, Jeroboam se acordó del profeta Ahías quien, años antes, le había anunciado que algún día llegaría a ser rey sobre diez tribus de Israel. El podía sanar al niño, si lo quería. Pero, ¿desearía hacerlo? El rey estaba seguro de que no lo haría si se enteraba de quién era hijo el muchacho. Por eso este hecho debía ocultársele a toda costa.

Jeroboam trazó en seguida sus planes. Le dijo a su esposa que se disfrazara y que fuera a Silo, donde Ahías vivía. "Coge contigo diez panes, tortas y una vasija de miel y entra en su casa, y él te dirá lo que va a ser del niño".

Por ese entonces Ahías ya estaba viejo y ciego, de modo que era innecesario que la reina se disfrazara. Ella se disfrazó lo mismo pensando que podría engañar al profeta del Señor. ¡Cuán equivocada estaba! El la reconoció en seguida.

Para gran sorpresa de la mujer, apenas "oyó Ahías el ruido de sus pasos en el momento en que trasponía la puerta, dijo: Entra, mujer de Jeroboam".

Demasiado atónita como para hablar, la reina no dijo una sola palabra. Todo lo que pudo hacer fue escuchar las tristes profecías que el anciano hombre de Dios le fue comunicando.

"Ve y dile a Jeroboam —le dijo—: Así habla Jehová, Dios de Israel: Yo te alcé de en medio del pueblo y te hice jefe de mi pueblo, Israel, rompiendo el reino de la casa de David y dándotelo a ti. Pero tú no has sido como mi siervo David. . . ; antes hiciste el mal. . . , haciéndote otros dioses y fundiendo imágenes para irritarme. . . Por eso voy a hacer venir el mal sobre la casa de Jeroboam. . . El que de la casa de Jeroboam muera en la ciudad será devorado de los perros, y el que muera en el campo será comido por las aves del cielo".

En cuanto al hijo de Jeroboam, no había esperanzas: moriría. Sin embargo, debido a que Dios había hallado "algo de bueno" en él, sería el único de los hijos de Jeroboam a quien sepultarían en una tumba.

Y para las diez tribus que Jeroboam había conducido por el sendero del pecado, Ahías también tuvo un mensaje triste. "Jehová —dijo—. . . arrancará a Israel de esta buena tierra que dio a sus padres, y le dispersará al otro lado del río [Eufrates], por haberse hecho ídolos, irritando a Jehová".

Cuando Ahías terminó de hablar, la reina se fue muy triste preguntándose de qué manera podría comunicarle a su esposo todo lo que el profeta le había dicho. Apenas llegó al palacio, "cuando tocaba con sus pies el umbral de la puerta, murió el niño". Y desde ese momento la reina no tuvo dudas de que todos los terribles prenuncios que Ahías había hecho se cumplirían al pie de la letra.

Tal vez pienses que todo esto habrá bastado para hacer volver a Jeroboam de sus malos caminos. Pero no fue así. Como el faraón de antaño, se obstinó en su posición y fue cayendo de un pecado en otro mayor, hasta que no quedó más esperanza para él ni para su reino.

4ta PARTE

HISTORIA 7

El Idolo de la Abuela

MIENTRAS esto ocurría en Israel, más al sur, en el reino de Judá, el rey Roboam había muerto y le había sucedido en el trono su hijo Abíam, cuya madre, Maaca, había sido la esposa favorita de Roboam.

Esta mujer, aunque era nieta de Absalón y biznieta de David, había aceptado una de las religiones paganas que las esposas de Salomón habían traído a Jerusalén. No sólo creía en los ídolos que había hecho fabricar sino que, peor aún, enseñó a su hijo a adorarlos. Por eso dice la Biblia que Abíam "diose a todos los pecados que antes de él había cometido su padre, y su corazón no estuvo enteramente con Jehová".

Sin embargo, Abíam no fue un rey completamente malo, porque cierta vez hizo esta hermosa afirmación: "El caudillo de nuestro ejército es Dios". Pronunció estas palabras cuando sus tropas eran atacadas por un vasto ejército comandado por Jeroboam. Todo parecía perdido; pero en ese momento Abíam le rogó a Dios que lo ayudara, "los sacerdotes tocaron las trompetas" y pronto la aparente derrota se convirtió en victoria.

No mucho después de esto Abíam murió, habiendo estado en el trono sólo tres años. Le sucedió su hijo Asa, quien hizo "lo que era bueno y agradable a los ojos de su Dios, y derribó los altares del culto extranjero, y los adoratorios profanos. . . , y quebró las estatuas, y taló los bosques sacrílegos".

La Biblia no nos dice quién educó a Asa cuando era pequeño; pero podemos estar seguros de que no fue su abuela. Ella continuó adorando su propio ídolo privado hasta que un día, cuando Asa se sintió lo suficientemente fuerte, la "despojó. . . de la dignidad de reina". Además, arrancó el ídolo abominable del lugar en que estaba y lo quemó en el torrente de Cedrón, a las afueras de Jerusalén.

Debe haber sido necesario tener mucho valor para atreverse a quemar el ídolo de la abuela; pero Dios se agradó de la acción de Asa y lo bendijo de diversas maneras.

Cierto día llegó la noticia de que los etíopes avanzaban

contra Judá con un ejército de cien mil hombres y tres mil carros de guerra. Asa se sintió muy alarmado; pero preparó su pequeño ejército y antes de presentar batalla clamó a Dios, diciendo: "Jehová, no hay para ti diferencia entre socorrer al que tiene muchas fuerzas o al que tiene pocas. Ven, pues, en ayuda nuestra, Jehová, nuestro Dios, porque en ti nos apoyamos nosotros y a combatir en tu nombre hemos venido contra toda esta muchedumbre. Jehová, tú eres nuestro Dios; que no sea el hombre quien triunfe de ti".

En respuesta a esta hermosa oración, Dios hizo que los etíopes "se pusieran en fuga" y fueran derrotados.

No mucho después de esto, el profeta Azarías, hijo de Obed, vino al encuentro del rey Asa, y le dijo: "Jehová está con vosotros cuando vosotros estáis con él; si vosotros le buscáis, le hallaréis; pero si vosotros le abandonáis, él os abandonará a vosotros... Esforzaos, pues, vosotros y no desfallezcan vuestras manos, porque merced hay para vuestra obra".

Cuando Asa oyó estas palabras "se sintió fortalecido e hizo desaparecer las abominaciones de toda la tierra de Judá y Benjamín".

Durante cuarenta y un años el buen rey Asa gobernó desde Jerusalén. El fue uno de los mejores reyes de Judá. Es cierto que cometió algunos errores, pero su corazón "fue perfecto en todos los días de su vida". ¡Y cuán hermoso es que Dios diga esto de un hombre!

4ta PARTE

HISTORIA 8

De Mal en Peor

EN ISRAEL, el reino del norte, las cosas iban de mal en peor. Después de la muerte de Jeroboam, su hijo Nadab ocupó el trono; pero éste fue tan perverso como su padre e "hizo lo malo a los ojos de Jehová".

Nadab no duró mucho en el trono: apenas dos años. Pues un hombre llamado Baasa conspiró contra él, lo mató y reinó en lugar suyo. Además, para impedir que algún hijo o familiar de Jeroboam le quitara el reino, "destruyó toda la casa de Jeroboam, sin dejar escapar a nadie, matando a cuanto respiraba". Así se cumplió lo que había anunciado años antes el profeta Ahías.

Baasa ocupó el trono durante veinticuatro años, pero no fue mejor rey que Jeroboam. La Biblia dice que "hizo lo malo a los ojos de Jehová" a pesar de que el Señor envió al profeta Jehú para que le advirtiera de lo que le ocurriría si no enmendaba sus caminos.

Después de la muerte de Baasa, subió al trono su hijo Ela, quien reinó dos años. El nuevo rey era aficionado a la bebida, y Zimri, jefe de la mitad de los carros del ejército, se aprovechó de una de las ocasiones en que el rey estaba ebrio para levantarse contra él y matarlo.

De ese modo Zimri se nombró a sí mismo rey; pero sólo permaneció en el trono siete días, durante los cuales se dedicó a matar a todos los parientes de Baasa. Mientras estaba ocupado haciendo esto, el pueblo de Israel nombró como rey a Omri. Este, que era jefe del ejército, marchó con sus tropas contra Tirsa, la ciudad capital, donde Zimri vivía, y se apoderó de ella. "Cuando Zimri vio que era tomada la ciudad, se metió en el palacio real y puso fuego a la casa con él dentro, y así murió".

Con eso, sin embargo, no terminaron las dificultades para Omri, pues otro hombre llamado Timni se levantó contra él atrayendo a su partido la mitad del pueblo. Como conse-

cuencia de ello, las luchas internas continuaron hasta que "Timni fue muerto y reinó Omri".

Durante su reinado, que duró doce años, hizo algo de gran importancia: compró una montaña por dos talentos de plata y edificó sobre ella una ciudad a la que llamó Samaria y a la cual trasladó su capital.

Esa era una magnífica ocasión para comenzar de nuevo. Todo era flamante, limpio y hermoso. Al rey y al pueblo se les presentaba la ocasión de dejar todo lo malo, todo lo que pertenecía al triste pasado. Sin embargo, si bien con dos talentos de plata se podía comprar una montaña, no era posible santificarla con el dinero. La plata permitía adquirir casas y tierra, y hasta un nuevo palacio para el rey; pero no la paz y la justicia. Para ello se necesitaba algo más, que nadie poseía.

Cuando Omri murió, su hijo Acab subió al trono en su lugar. "Y como si fuese todavía poco darse a los pecados de Jeroboam, hijo de Nabat, [Acab] tomó por mujer a Jezabel, hija de Et-baal, rey de Sidón, y se fue tras Baal, le sirvió y se prosternó ante él. Alzó a Baal un altar en la casa de Baal que edificó en Samaria... haciendo más que cuantos reyes le precedieron para provocar la ira de Jehová, Dios de Israel".

Así, sólo cincuenta años después de la muerte de Salomón, el pueblo de Israel había vuelto completamente las espaldas a Dios. Su rey era un idólatra; su reina, una mujer pagana; y en el lugar más destacado de la capital había un templo a Baal. La situación no podría haber sido peor. El escenario estaba listo para la llegada de Elías, el profeta de Dios.